GUNNA CAM AGUS SLABHRA ÓIR

Seán Ó Tuama

Gunna Cam
agus Slabhra Óir

dráma vearsaíochta thrí ghníomh

Sáirséal agus Dill

Baile Átha Cliath

An Chéad Chló 1964
An Tríú Chló 1971

Leis an Údar Céanna
Nuabhéarsaíocht (eagarthóir)
An Grá in Amhráin na nDaoine
Caoineadh Airt Uí Laoghaire
Faoileán na Beatha

PEARSANA AN DRÁMA

CAITRÍONA, iníon Mhánais Uí Dhónaill

AN SUIBHNEACH (Muiríoch), taoiseach, fear claímh an Dónallaigh

CALBHACH, mac don Dónallach

AN tATHAIR EOGHAN, Proinsiasach

SIR JOHN FITZWILLIAM, Sasanach ó Bhaile Átha Cliath

EILEANÓR NIC GHEARAILT, de Ghearaltaigh Chill Dara

CROSSÁN, geocach ag Eileanór

MÁNAS Ó DÓNAILL, taoiseach a chine

SEANÁN, fear dlí agus cléireach ag Sir John

CONCHÚRACH SHLIGIGH

AN BAOILLEACH

AN GALLCHOBHARACH   } fothaoisigh ag an Dónallach

AN BEIRNEACH

MAC SUIBHNE FÁNAD

MAC AN BHAIRD

Taoisigh eile, saighdiúirí, cailíní aimsire

Láthair: Caisleán an Dónallaigh i Leithbhearr, Tír Chonaill

Am: An 16ú céad

Ar shaol Mhánais Uí Dhónaill (+1564), taoiseach a chine, atá an dráma seo bunaithe: ach ní féidir a rá go bhfuil sé cruinn de réir na staire

Ar an 21ú Deireadh Fómhair 1956 in Amharclann na Mainistreach a léiríodh *Gunna Cam agus Slabhra Óir* den chéad uair. B'í seo an fhoireann:

CAITRÍONA	... Máire Ní Dhomhnaill
AN SUIBHNEACH (Muiríoch)	... Seán Ó Maonaigh
CALBHACH	... Peadar Ó Luain
AN tATHAIR EOGHAN ...	... Éamonn Guaillí
SIR JOHN FITZWILLIAM ...	... Tomás P. Mac Cionáith
EILEANÓR NIC GHEARAILT	... Bríd Ní Loinsigh
CROSSÁN	... Mícheál Ó hAonghusa
MÁNAS Ó DÓNAILL ...	... Mícheál Ó Briain
SEANÁN	... Pádraig Mac Léid
CONCHÚRACH SHLIGIGH ...	... Seathrún Ó Góilí
AN BAOILLEACH	... Liam Ó Foghlú
AN GALLCHOBHARACH ...	... Rae Mac an Ailí
AN BEIRNEACH	... Uinsean Ó Dubhlainn
MAC SUIBHNE FÁNAD ...	... Seán Ó Maonaigh
MAC AN BHAIRD	... Daire de Paor
MAC RUAIRÍ	... Ruairí Mac Chill Choinnigh

agus na daoine seo leanas: Dóirín Ní Mhaidín, Eithne Ní Loideáin, Éadaoin Ní Cheallaigh, Siobhán Ní Eaghra, Aingeal Ní Nuamáin, Ronnaí Nic an Mháistir, Murcha Mac Réamainn, Cathal Mac Roibeaird, Cathal Ó Ciardha, Gilibeart Mac an tSaoir, Brian Ó Faoláin, Vailintín Ó Manacháin, Pádraig Ó Longaigh, Roibeard Mac Comaidh, Ábrae Ó Maolalaí.

B'é Tomás Mac Anna a léirigh an dráma.

Brón mar fhás na fíneamhna
tarla oram re haimsir;
Ní guth dhamhsa mímheanma
tré a bhfaicthear dúinn do thaidhbhsibh
—Mánas Ó Dónaill

GNÍOMH I

RADHARC I

*Halla Mór an Dónallaigh i Leithbhearr. Deireadh an earraigh. Luachair
ar an urlár. Taipéisí dearga ar na ballaí. Bord fada caol cóirithe ag
síneadh as radharc ar clé. Suíocháin feadh an bhoird. Is beag den bhord atá
le feiceáil mar gheall ar na piléir ghreanta adhmaid atá laistíos is lastuas
de. Doras mór adhmaid thiar, i leith na láimhe deise, a osclaíonn amach
ar an bhfaiche. Doras go dtí an chistin agus tine mhór ar dheis. Staighre
cloiche sa chúinne dheis, thiar. Fuinneog bheag a bhfuil ráillí iarainn
uirthi ar clé, thiar. Tá triúr cailín, faoi stiúradh Chaitríona, ag cur
deireadh slachta ar an mbord*

CAITRÍONA: *(le cailín amháin, Úna, atá ag cur rósanna ar an mbord)* Anso
  a chroí anso; ós é a ordaigh,
leag anuas go cúramach anso iad os a chomhair amach.
(Glaonn chuici na cailíní) Is anois, a ghearrchailí, cuimhníg air seo:
fíon dearg Bhordeaux ar fad a riarfar go mbeidh na sláintí ólta.
Is seachain, a Úna, gan aon ghadhar a scaoileadh
isteach ar thuairisc cnámh. Tá ré na ngadhar thart sa tigh seo
feasta—agus ré na gcnámh! Cuimhníg.
  Pleancadh láidir ar an doras. Osclaíonn sí é. Calbhach isteach
CALBHACH: Ar son Dé . . . *(feiceann gurb í Caitríona atá ann agus maolaíonn)*
Ar son Dé, a Chaitríona, cad chuige
dos na doirse seo bheith dúnta docht i lár an lae?
Nach leor a bhfuil de dhoirse dúnta, is

de dhoicheall, sa tigh seo le leathbhliain anuas?

CAITRÍONA: Cá rabhais? Do bhíomar ar do lorg. Ní rabhais ar an
   bpósadh.

CALBHACH: Pósadh, pósadh, pósadh! Pósadh go deimhin!

CAITRÍONA: Éist, agus bíodh ciall agat.

CALBHACH: Ní éisteod. Is mithid do dhuine éigin dínn an craiceann lofa
   bhaint den striapachas cúirtéiseach seo.

CAITRÍONA: Ní duitse, ná ní domsa, is córa breith
a thabhairt, ná striapachas a chasadh fós le haoinne.

CALBHACH: Cuir uait. Cuir uait. Níl aon ní is déistiní ná beirt
   seanbhaintreach séidte ag dul fén gcuing—is ag ligean orthu
os comhair an tsaoil bheith caoch i ngrá le chéile.
(*é ag lorg ruda éigin in aice an staighre*) Cá bhfuil an gunna cam? Do bhí
   sé ar crochadh anso aréir.

CAITRÍONA: Chuir na gearrchailí a raibh anso sa stábla beag ar maidin.
   Ar ordú Mhánais.

CALBHACH: Ar ordú Mhánais! (*le drochmheas, ag imeacht dó*)

CAITRÍONA: Cá raghair?

CALBHACH: Ag marcaíocht, mé féin is Bran. Tá cuireadh againn chun
   bainise. Ní bheidh ann ach daoine óga—is tá saorchead
ag madraí.

CAITRÍONA: Ná himigh fós. Raghaidh duine des na gearrchailí ag fáil
   an ghunna duit. A Úna! A Úna!

Úna isteach ón gcistin

Rith leat síos go dtí an stábla beag
is féach an bhfaighfeá an gunna cam do Chalbhach.

Úna amach

A Chalbhaigh, led thoil, ná déanfá rud
orm is freastal ar an mbainis d'fhonn an réitigh?

CALBHACH: Ní fhreastalann aoinne riamh ar bhainis phósta a athar—
   ach bastard. (*Feiceann na rósanna*) Ó, dar Dia, na blátha! Rósa ar

an mbord! Rósa dearga an ghrá—is ná facasa
sna goirt i mbliana fós ach cupóga ramhra is feochadáin!

CAITRÍONA: Mánas a chuir fios orthu.

CALBHACH: (*go tobann*) Féach, a Chaitríona, ardaigh leat na rósa san,
  's a mbaineann leo, ón tigh mí-ámharach so,
is fanfad, foighneod, le bheith im bhastard ar an
mbainis.

CAITRÍONA: Ó, na rósa, tógfad láithreach iad. (*Cuireann chun iad a
  thógáil*)
Déarfad leis gurb amhlaidh . . . thiteadar sa smúit agus . . .
gur sataloíodh orthu. Cad eile anois
a dhéanfad?

CALBHACH: Ní gá duit ligean ort bheith saonta ar fad. Is maith is eol
  duit féin cad eile a dhéanfair. Bainfidh tú
a chulaith den veilbhit dhearg anuas de m'athair,
na siogairlíní is na hornáidí óir; is fógróir chun bóthair
uainn ár gcuairteoir uasal, John Fitzwilliam,
is gach spiaire gallda eile go ndeineann m'athair mór díobh, is aithris
ar a mbéasa. Tá tuilleadh fós . . .

CAITRÍONA: Ná bac, ná bac. Ní cabhair ar bith bheith leat.
Rómhaith is ea thuigeann tú ná fuil de bhun le caidreamh Mhánais
ar na Sasanaigh ach chun trioblóid
choimeád ó dhoras; is gurb é an toradh thiocfaidh as
an bpósadh so le hEileanór Nic Ghearailt
ná na Gearaltaigh neartú, is Gearóid óg a chur
ar láimh shábhála ó Lord Grey.

CALBHACH: Tá daoine ann 's ní cheapaid san in aon chor.
An é ná tuigir fós ná tiocfaidh Gallchobharaigh ná aon
Bhaoilleach ar an tabhairt amach anso
anocht?

CAITRÍONA: Ní hionadh san le haoinne.

CALBHACH: Bhuel, is dóigh leo san nach fada anois go bhfeicfidh
    Eileanór nach aon díon fónta é an Dónallach
dá haonmhac.

CAITRÍONA: Áiféis!

CALBHACH: Is ná fuil sa chonradh collaí so
go dtugair pósadh air ach cuid de bheartas Mhánais chun
é féin neartú sa mhairgínteacht 'tá
ar siúl aige le Sasanaigh. Mar (*go docht*) b'fhéidir fós, a Chaitríona,
go mbeadh le rá againne beirt
go bhfacamar an fear—'s gurb é ár n-athair é—is gurb
é ba thúisce de Chineál Chonaill ar fad
a bhronn a oidhreacht ar an Rí thar lear; is a ghlac mar mhalairt
uirthi slabhra óir.

CAITRÍONA: Ach níl aon dealramh leis. Ní bhfuarthas go dtí seo an
    chúis is lú le hamhras.

CALBHACH: An é nach aon chúis amhrais é an chuimilt bhoise seo go
    léir le Sasanaigh? Is (*le mothú tobann*) fuaireas-sa,
is fuairis-se, ár ndóthain cúise: aon fhear
a ghoil chomh caillte sin sé mhí ó shin . . .

CAITRÍONA: A Chalbhaigh, ar son na Maighdine, dein trócaire is éist.
    Ní tú an t-aoinne amháin gortaíodh.

CALBHACH: (*le seirfean*) Is mé an t-aoinne amháin inseoidh.

CAITRÍONA: Ach fós ní gá duit titim glan chun seirfin.
Is deacair léamh a dhéanamh air, a Chalbhaigh.
Is eol duit féin é sin. Laistiar den ghreann
go léir is den mhustar magaidh, tá eagna is gaois.

CALBHACH: (*bogtha*) Féach, a ghearrchaile, níl agat ar siúl ach áiteamh
    ar an gcroí. Is deacair léamh ar aoinne
beo; is deacra fós air sin. Ach ní hé
sin is cás dúinn—ach a ghníomhartha os comhair an tsaoil a thomhas.

CAITRÍONA: Is é a chúram féin a ghníomhartha an fhaid

ná deinid aon damáiste . . .

    Úna isteach agus an gunna aici. Caitríona ar tí é thógáil uaithi

CALBHACH: Tabhair domsa an gunna san, a ghearrchaile.
(*Tugann. Díríonn sé uirthi é go bagrach, mar dhea*) An tusa chaith sa
    stábla é?

ÚNA: (*ag cúlú*) Ní mé.

CALBHACH: Cé dhein, má sea?

ÚNA: Duine . . . des na cailíní . . . istigh.

CALBHACH: Má dhéantar choíche arís é—tusa dhíolfaidh as! An gcloisir
    mé?

ÚNA: Cl . . . cloisim.

CALBHACH: Cad as dod mháthair?

ÚNA: An áit seo, Leithbhearr.

CALBHACH: Cad as do d'athair?

ÚNA: Na Rosa.

CALBHACH: Cá gcuirfear tú?

ÚNA: N . . . ní fheadar. Leithbhearr.

CALBHACH: Tabhair aire anois, má shéidimse an méid seo trí do
    chonablach, ná beadh aon fháil i Leithbhearr—ná sna Rosa ort—
    an lá ba chóir tú adhlacadh!

ÚNA: Tá go maith, a Chalbhaigh!

CALBHACH: Seo leat. Húis! (*Tugann fogha magúil fúithi, agus teitheann sí*)
Is anois, a Chaitríona, (*le tréan gaisce*) dein, más maith
leat é, ar ócáid shollúnta so a phósta, mo bheannacht dhílis
thabhairt do Mhánas Mór Ó Dónaill, file,
taoiseach, is fear léinn—m'athairse—go mb'éigean dóibh
sé mhí ó shin é iompar ón séipéal
amach an tríú lá, ar eagla é d'fháil bháis den chumha;
's nár thúisce amuigh é ná siúd ag cumadh dánta
grá do Eileanór Nic Ghearailt é, ná raibh an clab 'na cloigeann
feicthe fós aige! (*Trumpa.*) An trumpa! (*Cuireann chun imeachta*)

CAITRÍONA: Fan, a Chalbhaigh, fan. Tá d'ionad réidh anso againn (*ag taispeáint suíocháin dó*)

CALBHACH: Nuair bheir féin 's do chara righin, Ó Suibhne, ag pósadh, fanfad.

CAITRÍONA: Impím ort, ar mo shonsa . . .

CALBHACH: Ní féidir é, a Chaitríona, ní féidir é. Beidh bainis fós inniu agamsa is ag Gallchobharaigh

go mbeidh—féach—sliocht uirthi! Beannacht.

Calbhach amach tríd an gcistin. Mórshiúl isteach. Miondaoine, cláirseoirí, fothaoisigh etc. ar dtús; cuireann díobh síos ar clé. An Suibhneach, Sir John agus an tAthair Eoghan ansin. Leanann Crossán iad is é á chaitheamh féin tóin thar cheann. Mánas is Eileanór ar deireadh. Fear ard go maith é sin, dathúil, timpeall 60 bliain d'aois, é i leith na raimhre. Culaith an-álainn den veilbhit dhearg air, siogairlíní is ornáidí óir inti. Tá fallaing fhada chraorag lena ghuaillí siar. Ise dea-éadaithe leis, ach gan í bheith chomh dathannach sin; í caol, crua, scafánta, thar an meánairde. Caitríona ag féachaint i ndiaidh na suíochán dóibh de réir mar thagann siad isteach

MÁNAS: (*go croíúil*) Hó, a Chaitríona a chroí, bhfuil gach ní i dtreo?

CAITRÍONA: Bhuel . . . beagnach.

EILEANÓR: Is fearr go mór ná 'beagnach' é. Tá gach ní ana-ghreanta.

Agus féach . . . na rósa

áille!

MÁNAS: Dúthracht bheag speisialta duitse, a Eileanór.

EILEANÓR: Ó nach ana-aoibhinn iad go deo!

Téann á n-iniúchadh. Snabann Crossán cnámh feola de phláta atá á chur ar an mbord ag duine de na cailíní, is imíonn ar leataobh

MÁNAS: Hó, a Eileanór, is Gearaltach

é sin agat.

EILEANÓR: Crossán bocht?

MÁNAS: Díreach. Pé ní dheineann nó ná deineann—

seachnaíonn sé an daoscar!

CROSSÁN: Is Gearaltach tusa, a Eileanór?

EILEANÓR: Níl dabht air sin, a bhuachaill.

CROSSÁN: Níor sheachnaís-se an daoscar! (*Gáire*)

MÁNAS: (*ag taispeáint suíocháin d'Eileanór*) Is baolach nár sheachnaís, a
    chroí.

CAITRÍONA: Seo, a gheocaigh, suigh san ionad folamh so.

*Tugann ionad Chalbhaigh dó. Féachann Mánas uirthi. Cloistear sodar
    chapall Chalbhaigh lasmuigh is é ag imeacht*

MÁNAS: Sea, is fearr go mór é geocach ar
stóilín ná taibhse. Is, féach, lig ort go fóill gur Críostaí tú,
is staon ón mbia go ndéarfaidh an tAthair Eoghan
altú dúinn. Sea, a Athair.

ATHAIR EOGHAN: A Thiarna, cuir do bheannacht ar an mbia so, Amen.
Ar ócáid róbheannaithe phósadh so Mhánais is Eileanóir, Amen.
Chun go n-onórfaimid teampall an Spioraid Naoimh ionainn, Amen.
le meidhréis an bhídh is na dí a bhronnais féin orainn, Amen.
Is tabhair dúinn gurb é gairdeachas an choirp a thiocfaidh as, Amen.
Is nach é a thruailliú; tríd an Íosa Críost céanna ár dTiarna, Amen.

MÁNAS: Oscail na doirse thíos ansan,
Is scaoil isteach an slua i dtóin an halla.

Brat anuas

RADHARC II

An áit chéanna, láithreach ina dhiaidh sin. Dorchacht

ATHAIR EOGHAN: Strac aníos m'aigne, a Thiarna. Strac aníos go ciúin ciúin í as bolg neamhthuisceanach an lae. Ardaigh suas chugat féin í, is clúdaigh í sa dorchacht. Lig dom bualadh amach fén ndorchacht chomh nádúrtha is scaoilim iall mo bhróg roimh dul a chodladh dom. Éist lem phaidir; is bronn orm suáilce do chomhrá.

Do chualaís mé ag caint. Chualaís mé ag rá an altaithe. Is fós níor chualaís—mar ní haon altú a dúrt. Ní raibh agam ach focail fhuara, dá naofacht a dhealraíodar. 'Cuir do bheannacht ar an mbia so,' a dúirt na beola seanachleachtaithe. 'Cuir do bheannacht ar an mbia so,' a chuala na cluasa seanachleachtaithe im thimpeall. Ach is maith is eol Duitse nach le bia ná le beannachtaí a bhí m'aigne gafa. Tá sórt náire orm a rá os ard cad leis a raibh m'aigne gafa. (Ach nach fearr is eol Duitse ná domsa é?) Mar sin féin, mura mbíonn náire orm, is mura ndeirim os ard é, ní chloisfir mé. Tá náire orm, toisc an paisiún a ghabh m'aigne, an paisiún feirge: bhí paisiún feirge ar Do sheirbhíseach, an tAthair Eoghan, toisc go bhfaca sé roimis ar an mbord . . . triopall rós. Triopall rós . . . agus paisean feirge! 'Níl iontu ach bréag,' a dúrt. 'Bréag chaoch. Is níl sa mhargadh so, sa phósadh so ar fad, ach bréag chaoch. Bréag chaoch, ghránna.' Do labhraíos le húdarás. Údarás na feirge. Agus, ar ndóigh, ní raibh a fhios faic agam. Ní raibh a fhios agam, agus ní bheidh a fhios agam go deo, an ruainne is lú i dtaobh an phósta so, ach oiread leis an bhfear claímh is ísle anso. Conas a bheadh a fhios? Mé féin, d'osclaíos mo bhéal le tarcaisne ó chianaibh; is fuaireas mar ghrásta Uaitse ó shin é a dhúnadh arís—is osclaíodh mo chroí. Uair éigin idir dúnadh san an bhéil is oscailt sin an chroí, gineadh ionam síol beag

éigin . . . grá; síol beag éigin grá nár thuilleas. Más cumas Duit
an t-oibriú san ionamsa, cad é nach cumas Duit id sheirbhísigh,
Eileanór is Mánas. Más cumas dósan rósa a lorg chun rósa a chur san
áit ná raibh aon rós, nach cumas dó chomh maith grá a lorg chun grá
a chur san áit ná fuil aon ghrá. Is cumas dó gan amhras.

Ach má ráiníonn go ndeineann sé an lorg is ná faigheann, má ráiníonn
gur rósa amú na rósa iasachta anso a bhuair an fhuil ionam, má
ráiníonn gur bréag chaoch mar a dúrt an pósadh so ar fad, deonaigh
nach rud ar fad gan tairbhe é. Deonaigh más bréag chaoch féin é,
gurb é a chaoiche a thairbhe, gurb é a chaoiche a fhírinne. . .

Agus anois go bhfuilim sásta foighneamh, anois go bhfuilim sásta
feitheamh, féadaim a rá óm chroí amach den chéad uair dom anocht:
'Cuir do bheannacht ar an mbia so, a Thiarna.'

Brat Anuas

RADHARC III

*An áit chéanna, níos déanaí. Tá an bia caite agus na sláintí á n-ól. Tá
an slua bogtha amach ón mbord. Na miondaoine is na cláirseoirí etc. as
radharc nó ar a nglúine sna cúinní. Na cailíní freastail istigh sa chúinne
dheis (ar tosach), is an geocach ina measc. An Suibhneach ag caint go
minic is go dúthrachtach le Caitríona, trasna an bhoird. An slua go léir
meidhreach. Gártha. Ceol cláirsí*

SIR JOHN: My dear Manus, I have been most eager to ask you for some
time—these roses are so very beautiful—where did you get them?

CROSSÁN: (*aithris Ghaelach á dhéanamh aige ar Sir John gan a cheann a ardú*) Féir dije geitum, féir dije geitum ?

> *Gála gáirí i dtóin an halla, is go háirithe ag na cailíní*

SIR JOHN: (*le drochfhoghraíocht*) Bhuel déar-faidh mé as Gaeil-ge é chun go dtuigfeadh an geocach mé: Cá wuares na rósa a Wánas?

CROSSÁN: Ó Wénus! Fuair Wánas na rósa ó Wénus. (*É á athrá, is é ag rince mórthimpeall. Bailíonn an slua aníos ó bhun an halla*)

Manus accepit rosas a Venero.

'Gréigis is mó labhrann geocaigh in Éirinn
ach ní heol dos na Sasanaigh Gaeilge ná Béarla.'

MÁNAS: (*go cneasta*) Fan bog, a gheocaigh. Ní haon nath linne thú —ach is ceart níos mó cúirtéise chaitheamh le strainséir sa tigh.

CROSSÁN: (*mar a bheadh á rá leis féin*) Ní haon strainséir—Sasanach sa tigh seo.

MÁNAS: (*Baintear siar as*) Sea, a chroí, ní haon strainséir aon tSasanach sa tigh seo—ná an fear gorm féin, má bhíonn aige fios a bhéasa.

EILEANÓR: (*cnámh á síneadh chun Crossáin aici*) Ba shuaimhneasaí go mór dúinn uile, a bhuachaill,
dá dtéifeá ceangailte sa chnámh so tamall.

CROSSÁN: (*ag duanaireacht*) Maith go leor,
a Eileanór,
ach b'fhearr go mór
liom cnámh spairne. (*Buaileann flíp den chnámh ar dhuine de na cláirseoirí*)

MÁNAS: (*go teann cineálta mar a bheadh le páiste*) A Chrossáin, má mharaíonn tú mo chruitire
gan chúis orm, seolfaidh mé tú féin 's do chlis anonn
go Londain Shasana. Is dream sibhialta
ár mbráithre thall, ar mhórán bealach; is dailtín drochbhéasach
ded leithéidse, is é deireadh thabharfaí dhó—

é alpadh siar tur te! 'S ansan . . .

CROSSÁN: 'S ansan, a Dhónallaigh, ní bheadh sa tigh
seo fágtha—ach geocach mór amháin!

SIR JOHN: (alltacht air)   By Gad!

MÁNAS: Ná bíodh scanradh ort, Sir John. Is fíor
a ndeir sé. Nuair thugas-sa an bóthar dos na seanagheocaigh
bhí sa tigh seo, is é leithscéal a bhí
agam dom mhuintir féin, ná raibh aon tslí ach do gheocach maith
amháin fé dhíon ar bith.

ATHAIR EOGHAN: Féach anois, a Eileanór, cad é
mar fhear tréithiúil a cheangalaíos-sa leat ar maidin.

EILEANÓR: Ní i gan fhios domsa é, a Athair.

ATHAIR EOGHAN: Ach na rósa, a Mhánais? (go béasach) Níor thugais
freagra
fós ar cheist Sir John.

MÁNAS: Cuir isteach anso é a bhuachaill, san áit
tá ceaptha dó.

(Tógann cnámh ó Chrossán is cuireann i mbáisín ar an mbord é, in
ionad é a chaitheamh fén mbord mar ba mhaith le Crossán a dhéanamh.
Labhraíonn ansin go héadrom—ach tá dáiríreacht áirithe ina chaint) Ó sea
na rósa—mo dhearmad, Sir John—
is baol go bhfuil an fíon so imithe fén gceann agam
beagán. Sea, mar is eol don uile dhuine
agaibh go cruinn fén am so, agus duitse féinig, fiú,
a Lady Eileanór, ní hamháin
gur geocach mé ach is gaige mé chomh maith; 'S ní maith liom bheith
chun deiridh in aon phonc bhaineann le gaigínteacht.
Ar an abhar san, ó cuireadh ar na súile dom ná fuil fear uasal
i bPáras, i Maidrid, ná i Londain féin fé láthair,
go bhfulaingeodh a bholg aon ghreim ithe gan triopall rós bheith
os a chomhair—bhue-e-l níor mhaith liom gan

mo bholg bheith go dearfa sa bhfaisean (*gáire*). Ar thuigis mé,
Sir John?

SIR JOHN: (*absolutely choking with mirth*) Ó thuigeas, thuigeas. Ana-wah,
ana-wah (*ag croitheadh a chinn*)

CROSSÁN: (*go tur*) Wah-ha.

Imíonn an slua arís

EILEANÓR: Tá san go breá, a Mhánais, ach níor fhreagraís
an cheist a chuir Sir John.

MÁNAS: Cén cheist?

EILEANÓR: Cá bhfuarthas na rósa?

ATHAIR EOGHAN: Cén áit a bhfuairis-se iad?

MÁNAS: (*go neamhchúiseach*) Ó Bhleá Cliath a seoladh chugam iad.

EILEANÓR: Ó Bhleá Cliath? Bleá Cliath na nGall. . .

CAITRÍONA: (*a bhí ag caint cuid mhaith leis an Suibhneach go dtí seo*) Cara
do m'athair—bheadh aithne agatsa
air Sir John—sheol chugainn iad.

ATHAIR EOGHAN: (*go béasach, ach fonn air leanúint siar ar an
ábhar cainte*) Ní foláir, a Mhánais, nó tá meas
fé leith agatsa ar Bhleá Cliath?

MÁNAS: Meas agamsa ar Bhleá Cliath? (*Croitheann a ghuaillí*)
B'fhéidir
san . . . Ach ná beir leat gur gile liomsa seachas aoinne
eile Grey is a chuid bheith ag leathadh a síl
sa tír seo.

ATHAIR EOGHAN: Ní hé sin a bhí i gceist agam ar ndóigh—
ach go dtugair gean dá nósa beatha.

MÁNAS: Sea, tugaim—is ní thugaim.

ATHAIR EOGHAN: (*fé mar a bheadh an scéal tuigthe aige den chéad uair*)
Ó, ní mian leat bheith dáiríre linn.

MÁNAS: (*ag éirí*) Tá's ag Dia, a Athair Eoghan, gur deacair
d'aoinne bheith dáiríre ar a bhainis féin, is a aigne

ar luascadh ar dheargthonnta fíona.

Ach más é atá uait go mbainfinn díom anuas mo chulaith
mhagaidh os comhair na ndaoine, déanfad san;
is nochtfad corp mo smaointe daoibh go léir. An té a bhfuil
aon tsúil 'na cheann is eol dó cheana féin
an ní a deirim: an saol a chaitheadh m'athairse is a athair siúd
arís, tá deireadh leis. Na nósa is
na béasa chleachtaímid, ní chuirid in oiriúint sinn don
ré nua atá ag teacht. Tuathánaigh dheinid dínn
os comhair an domhain, cine dúr spadaigeanta ná loirgíonn
aon pháirt a bheith acu sa mhalairt
saoil atá forleathan inniu ar fud na hEorpa.

Is é mo mhiansa, áfach, a thaispeáint
go bhfuilimid sásta—is oiriúnach—bheith rannpháirteach insa
tsaol nuamhaisithe.

EILEANÓR: Agus dá bharra san go léir a chuiris fios ar rósa Bhaile Átha
Cliath?

MÁNAS: Díreach é.

EILEANÓR: A Thiarna Dia na bhFeart!

CROSSÁN: (*Snabann cruit go tobann as lámha ceoltóra, agus ritheann go
haerach timpeall an tseomra. Bailíonn an slua timpeall air, agus
canann sé go mall uaigneach*) Samhaircíní fuaireas-sa thíos ar an
inse

fé bhráid carraige is sailchuach tríothu—
dá dtugainnse chugaibh iad, a lánú an tí seo,
do ba seacht bhfearra um an dtaca so arís sibh.

Bualadh bos. Gártha 'arís' etc.

MÁNAS: (*Téann go dtí an geocach, is labhraíonn go cneasta leis*) Gabhaim
pardún agat, a gheocaigh. Is maith
liom féin go mór iad, na samhaircíní sin a deir tú. Ach nílid
siad, is baolach liom, sa bhfaisean.

EILEANÓR: Faisean! Faisean go deimhin!

ATHAIR EOGHAN: (le miongháire) Ní hé a deireann tú, a Mhánais go
gcabhróidh na rósa faiseanta ar an mbord san leat, nuair thosnaíonn
Grey gan mhoill anois ár ndíthiúna,
ar nós na muintire ó dheas.

MÁNAS: Cabhróid—mar caithfear níos sibhialta linn.
Agus dá mba den nós againne é fadó a bheith
de réir an tsaoil, ní bheimis mar atáimid,
dealbh nocht os comhair na scríbe atá ag bagairt orainn.
Dá mba den nós againne é sinn féin
oideachasú de réir an tsaoil, bheadh tamall caite ag
an Suibhneach, abraimis, anso, le dlí
in Oxford—is é glic a dhóthain ins na ponca san
don tSasanach is caime. Is fós dá mba
den nós againne é sinn féin armáil de réir an tsaoil,
ní claíomh bheadh beartaithe im láimh agamsa
insa troid, ná ag an bhfear is ísle céim anso,
ach muscaed. Dá mb'é an gunna cam sin féin é
atá . . . a bhíodh ar crochadh leis an bhfalla ansan, dob fhiú
fear maith nó dhó sa chath é.

ATHAIR EOGHAN: Ach ón uair ná fuil na gunnaí cama féin againn. . . .

MÁNAS: Ní mór dúinn slite eile tharrac chugainn
—fé mar a dhéanfadh cine ar bith sibhialta.

EILEANÓR: Cad tá i gceist agat anois, a Dhónallaigh?

MÁNAS: Gur féidir teacht ar phlean réasúnta tuisceanach a shaorfaidh
sinn ón íde seo.

EILEANÓR: (go crua, le fíoramhras) Ní hé a deireann tú an slabhra óir a
ghlacadh?

MÁNAS: (go tromaí ag suí dó) Ní hé.

Tost

Sir John: Tá . . . ana-áthas ormsa . . . pé scéal é ná fuil aon chead a
thuilleadh ag na gadhair a bheith ag ithe mo chosa díom fén mbord!

Scinneann an geocach isteach faoin mbord

Crossán: Wow—wow—wow.

Mánas: Há, is gadhar seanaimseartha é sin
agat Sir John. Ní heol dó, de réir dealraimh, nach fén mbord
istigh a bhíonn na cnámha sa tigh seo a thuilleadh.

Crossán: Ní rabhas-sa ach á chur i gcuimhne duit,
a Dhónallaigh, gur nós cúirtéiseach é smut beag le n-ithe
thairiscint do chuairteoirí sa tigh. (*Le dínit mhagúil
a deireann an méid seo, is sciobann blúire bia den bhord*)

Mánas: (*ag éirí arís*) Tá sláinte fós le n-ól againn, is chun
go n-ólaimis, is baolach liom go gcaithfead caint a dhéanamh
libh óm chroí amach uair eile fós
inniu. Tá iníon agam, Caitríona, iníon mo mhná a cailleadh,
is níor mhór dom bheith gan náire chun í mholadh
mar ba chóir. Ach níl aon náire eile insa tsaol
is buaine agus is cneasta mianach ná náire
athar roimh ghin a cholla féin; is fágfaidh san í gan
a ceart anois . . . Fós, an bhfuil aon duine
agaibhse anso ná faca crann caol óg na sceiche gile
féna chnuas bláth bán ag cuilitheáil
go ciúin cois abhann i dtús an tsamhraidh?—an duille air chomh caoin
síodúil id bhois seach duillí tútach' ramhr'
na gcrann mór ard gur scorn leat aon gharbhchuimilt choíche
arís led shaol . . . Ach is nuair a bheireann
ort an oíche a bhlaiseann tú i gceart an fíon fén gcoirt ann . . .
nuair a leathann sé a chumhracht go
neamhchuimhnitheach ar fud an aeir. Sin í an tsamhailt a bheirim
daoibh di siúd is ceol lem chroí; agus

is í a bheirim uaim go mómharach i bpósadh do
Mhuiríoch Ó Suibhne anso; fear ciúin más maith libh,
ach fear ná fuil aineolach ar cad is dualgas ann, is cad is
gaisce. Bhur sláinte, a Mhuirígh agus a Chaitríona.

  Gártha 'Sláinte,' 'Sláinte.' Labhraíonn an tAthair Eoghan leo.
    Croitheann Sir John lámh leo

SUIBHNEACH: (*ag éirí*) Táimse féin, is Caitríona, anabhuíoch daoibh.
  Le deich mbliana anuas tá ordaithe an Dónallaigh
á gcur i gcrích agamsa. Ní raibh
riamh ach uair nó dhó nár réitíos leis. Ní huair acu
í seo (*bualadh bos, gártha*)—ach a bhuí le Dia, níor iarr sé riamh
orm aon tseal a thabhairt le dlí in Oxford! (*Gáire*)

EILEANÓR: Cathain a phósfar sibh, a Chaitríona?

CAITRÍONA: An samhradh so, más féidir é, le cúnamh Dé.

SIR JOHN: By the way, a Wánas, cá bhfuil do mhac Calbhach? I don't
  see him anywhere about. He is not below there with the crowd?

MÁNAS: Níl. Níl sé anso. Níor fhéad sé bheith
anso.

CROSSÁN: He shnot blow daor widda creabhid.

ATHAIR EOGHAN: (*ag éirí*) Ba mhaith liomsa sláinte eile fós
a mholadh daoibh anois. Sláinte an té a bheidh anso
inár measc amárach, Gearóid Óg Mac Gearailt.
Tá's agaibhse chomh maith liomsa ná fuil in Éirinn treibh
is mó a fhulaing drochúsáid ón namhaid
ná Gearaltaigh Chill Dara. Ní gá an scéal . . .

  Sodar capall, amhastrach madraí, fir ag tuirlingt. Cnagadh millteach ar
    an doras. Preabann an Suibhneach ina sheasamh

MÁNAS: (*ag bagairt a chinn*) A Shuibhnigh . . . (*Téann an Suibhneach agus*
  cúpla fear go dtí an doras)
Ná scaoil aon ghadhar isteach.

               Gníomh I

*Tugann nod don Suibhneach, agus osclaíonn seisean an doras. Calbhach
agus ceathrar nó cúigear ógánach eile isteach. Rian na meisce go soiléir
orthu*

CALBHACH: Húis! Húis! (*leis na cailíní freastail. Cúlaíonn siad roimhe siar
isteach sa chistin. Tarraingíonn na hógánaigh cnámha chucu go tobann
is caitheann siad ar fud na háite iad*)

Chualamar—ná beadh aon chnámha agaibh—ar
an mbainis—is rugamar linn—lán ár mbeilt' acu.

Téann na hógánaigh ar a gcorraghiob sa chúinne

CROSSÁN: (*go truamhéileach*) Tá deireadh liomsa anois, a Eileanór!

EILEANÓR: Is baolach é, a bhuachaill.

MÁNAS: Sea, a Athair, bhís ag caint . . .

ATHAIR EOGHAN: Bhíos ar tí a rá nuair labharfar feasta
ar Ghearaltaigh go labharfar go speisialta ar Eileanór,
a chaith a dúthracht croí le blianta anuas
chun Gearóid óg, an Gearaltach deireanach, a chur ar láimh
shábhála. Anois le trócaire Dé is le gaois
a mháthar . . .

CALBHACH: Le trócaire Dé . . . agus le gaois . . . a mháthar tá athair nua . . .
fachta ag Gearóid!

ATHAIR EOGHAN: Dúraís é, a Chalbhaigh: athair
nua a dhíonfaidh 'rith a shaoil é ar ghramaisc fola an Bhéarla.

CALBHACH: Is é deireann tú . . . a Athair . . . ná féadfaidh . . . aon
snamhaire Sasanaigh lámh a leagadh ar an mbuachaill feasta?

ATHAIR EOGHAN: Is é.

CALBHACH: Níl . . . an ceart agat . . . féach cén sórt . . .
ainmhí duine . . . atá ar do chliathán clé!

*An lámh a bhí ag Sir John ar ghualainn Chaitríona is é ar tí rud éigin
a rá léi, snabann sé go dithneasach ar ais í*

ATHAIR EOGHAN: Gabhaim pardún na cuideachta leat go humhal,
Sir John.

10639

Sir John: Tá san all right, a Athair Eoghan. Tá sé ar meisce.

Crossán: (*de chogar ard dáiríre*) Níl sé ar meisce, Eileanór!

Eileanór: Sh . . . Sh . . .

Athair Eoghan: Ólaimis anois sláinte Ghearóid
óig. (*Fothram mugaí agus gártha.*) Is bolgam eile arís dá chosantóir
Ó Dónaill. (*Gártha*)
Níl aon taoiseach eile ann gur cumas
dó an chomaoin seo a chur fé láthair ar ár náisiún briste.

Calbhach: Cad mar gheall . . . ar . . . Ó Néill? Ná déanfadh . . .
seisean . . . athair breá . . . do Ghearóid óg? (*Gáire*)

Glór: Ná bac Ó Néill!

Glór Eile: Tá sé sin chomh cam le Sasanach
ar bith!

Glór: (*thíos*) Bás don Niallach!

Gártha fidíne agus gáire

Athair Eoghan: Pé ní i dtaobh an Niallaigh (*gáire*), aoinne a chuireann
aon chomaoin mar seo ar Éireannaigh fé láthair, tá
comaoin á cur chomh maith aige ar Eaglais
Dé. Is eiriceach ó bhonn é Anraí Shasana,
ná tugann géilleadh d'easpag ná do Phápa;
agus is eiricigh mórán dá mhuintir (bíodh is go bhfuil
roinnt mhaith acu go fóill, ar nós Sir John
anso, a chloíonn go dílis leis an seanachreideamh). (*Bualadh bos*)
         Ach aon
bhuntáiste bheirtear feasta ar Shasanaigh,
is buntáiste é ar leas na hEaglaise. Ólaimisne
mar sin sláinte an Dónallaigh, fear cosanta
na nGearaltach—agus na hEaglaise!

Gártha, fothram mugaí agus cnámha

Calbhach: Ós . . . ag caint . . . ar chreideamh tú, a Athair Eoghan,
ba mhaith liom . . . ceist diachta . . . a chur ort.

ATHAIR EOGHAN: Más diacht í, a bhuachaill, tabharfad féna freagairt.

CALBHACH: Tá mórán daoine—daoine léannta—filí . . .
le blianta anuas . . . ag scaothaireacht . . . i dtaobh an rud diamhair
seo . . . is ag scríobh dánta ina thaobh . . .
'an grá' . . . Cad is grá ann, a Athair?

ATHAIR EOGHAIN: Is ní é an grá, a Chalbhaigh—is maithfir
dom an méid seo a rá leat—go gcaithfeá bheith ar do chéill
chun tuiscint
thabhairt dó i gceart.

GALBHACH: Sea, a Athair . . . tá's agam go bhfuil . . . braon beag
. . . sa bhreis . . . tógtha agam . . . ach is é seo lá pósta m'athar!

EILEANÓR: Seo suigh síos anso is beam ag caint.

CALBHACH: Ó is tusa . . . an Lady Eileanór!
Ar chuma éigin . . . níor cuireadh . . . in aithne sinn . . . dá chéile fós.
Tá ana-áthas orm . . . bualadh leat.
Ní gach lá a bhuaileann duine . . . lena mháthair . . . ar phósadh a athar!

SUIBHNEACH: Féach, éist do bhéal is suigh ansan!

CALBHACH: I gcead . . . duitse a Shuibhnigh . . . nílim chomh mór
. . . ar meisce . . . go measfainn gur tusa thugann orduithe . . .
sa tigh seo—
ná go . . . measfainn ach an oiread go raibh . . .
freagra tabhartha ag an Athair Eoghan . . . ar an gceist dhomhain diachta
chuireas air. Go maith. Cuirfead chugat
. . . arís í. Ar shlí . . . níos cliste! An é is grá ann, a Athair Eoghan,
. . . an margadh . . . suarach so chun Gearaltach . . .
chun Gearaltach . . . beag . . . amháin . . . a shaoradh ó Lord Grey!

    Raic. Léimeann Eileanór, an Suibhneach, an tAthair Eoghan, etc.
                   Fanann Mánas ina shuí

SUIBHNEACH: (*Tarraingíonn claíomh*) Suigh síos, a amadáin!

CALBHACH: (*a chlaíomh féin á bheartú aige go hamaideach*) Tá claíomh . . .
chomh maith . . . agamsa.

SUIBHNEACH: An gcaithfidh mé sa túr é, a Mhánais?

EILEANÓR: Caith san abhainn é—é féin 's a mhaidríní!

MÁNAS: (*go ciúin*) Ná dein, ná dein. Is buachaill é, is tá sé ar
    meisce. Is táimid ar fad ar meisce.

EILEANÓR: Ar meisce nó ar a chéill dó, ba chóir go ndéanfaí
    fios a bhéas a mhúineadh dó.

MÁNAS: Bog réidh, a Eileanór. Is cuma leis
an duine meisce cá mbuailfidh sé a chos. Is más mar sin féin dó,
ní haon díobháil é dúinne bheith réasúnta,
ach go háirithe. B'fhéidir, a Athair Eoghan, go labharfá
focal leis?

ATHAIR EOGHAN: (*ag croitheadh a chinn*) Is baolach nach aon áit é seo agam
chun seanmóra; agus, a Chalbhaigh, caithfirse
bheith sásta leis an méid seo uaim—go fóill:
gur féidir uaireanta ná beadh sa ghrá ach tuiscint ar
an mbéal a dhúnadh is ar an gcroí a oscailt.
Ná tuigfeá an méid sin ar a laghad uaim?

CALBHACH (*a lámh ar a chroí aige*) Tá . . . mo chroíse, a Athair . . .
    leathan ar oscailt.

ATHAIR EOGHAN: Sea, a bhuachaill—'s tá do bhéal chomh maith
Taoi ag liú an iomad.

CALBHACH: Nílimse ag liú . . . an iomad . . . a Athair.
Táim chomh 'réasúnta' (mar a déarfadh m'athair) . . . táim chomh
    réasúnta . . .
—is is féidir d'aoinne . . . ar meisce bheith.
Chuireas ceist ort . . . ach níor . . . fhreagraís í. Níor mhaith leat . . .
    b'fhéidir,
os comhair an tslua. Ach cuirfead . . . iachall ar
. . . dhuine éigin . . . mo cheist a fhreagairt. An é is grá ann, trí lá is
    oíche . . .

CAITRÍONA: Ar son Dé, a Chalbhaigh, dein trócaire . . .

CALBHACH: (*go ceanndána*) An é is grá ann trí lá is oíche . . . thabhairt
. . . ag troscadh . . . is ag gol ar . . . chorp do mhná, is ansan sé mhí
ina dhiaidh san, seile . . . seile a chaitheamh. . .

MÁNAS: A bhastaird shalaigh, dún do bhéal. Ní cás leat
na mairbh ná na beo. (*Tugann fé le cuthach allta, is buaileann buille
fíochmhar air lena bhois oscailte*) A Shuibhnigh, caith sa
   túr iad.

   Gráscar beag. Tugtar in airde staighre iad

CROSSÁN: Ní dóigh liom, a Eileanór, go raghadsa choíche
arís ar bhainis.

EILEANÓR: Ná mise, a chroí,

Brat Anuas

DEIREADH GNÍMH I

GNÍOMH II

RADHARC I

Trí mhí ina dhiaidh sin. Maidin shamhraidh. Grianán na mban in airde staighre. Seomra é ná fuil rómhór, ach é solasmhar néata. Fuinneog ar clé. Doras thiar ar dheis. Gúnaí agus éadach i ngach aon bhall ar na suíocháin. Caitríona suite ag fuáil. Buailtear cnag bog ar an doras.

CAITRÍONA: Cé tá ansan?

CALBHACH: Mise. Calbhach.

CAITRÍONA: Seo leat isteach.

Calbhach isteach

CALBHACH: (*gan bheith róshearbhasach*) A Mhaighdean Bheannaithe, an mbeidh deireadh le

póstaíocha go deo. Gúnaí, gúnaí . . . le hanamain na marbh!

CAITRÍONA: (*go híseal, ach go ceapaithe*) Ná héisteofá!

CALBHACH: Gabhaim pardún agat, a Chaitríona.

Maith dhom é. Maith dhom bheith chomh garbh san. Le fírinne is áthas liom ó chroí an sonas

so a bheith id threo.

CAITRÍONA: Ó, a Chalbhaigh, aon abairt bheag

amháin mar sin le m'athair is bheadh suaimhneas orainn uile—

seachas tusa a bheith id phúca insa

tigh mar táir, ag caolú leat ó dhoras go doras, is fan na staighrí. Nach cuimhin leat cad é dúirt

an tAthair Eoghan leat ar an bpósadh?

CALBHACH: (*le turghreann*) Ní cuimhin liom faic dá ndúirt aoinne ar
an bpósadh.

CAITRÍONA: Dúirt sé leat do chroí a oscailt—is
do bhéal a dhúnadh.

CALBHACH: Do leithéidse agus leithéid an Athar Eoghan,
ní thagann sé in bhur líon go deo ach bhur gcroí a oscailt, mar d'osclódh
gearrchaile os comhair na habhlainne
Dé Domhnaigh. Ní chaitheann sibh, an túisce bhíonn an croí ina theas,
é a chrapadh suas arís chomh crua, chomh fuar,
le bulla iarainn. Ormsa is ar mo mhacasamhail
a thiteann san. Sinne a chaitheann an gníomh
barbartha a dhéanamh.

CAITRÍONA: Caithimid go léir tráth éigin an gníomh
barbartha a dhéanamh.

CALBHACH: Níl ansan agat ach focail bhreátha.
Ormsa a bheidh, is ní ortsa choíche, ná ar an Athair Eoghan
titim ar mo ghlúine os comhair m'athar,
le humhlaíocht, inniu—is amárach, b'fhéidir, é chrochadh
ar an gcrann is airde amuigh ansan
sa bhfaiche!

CAITRÍONA: An Chrois Chéasta idir sinn is an urchóid!

CALBHACH: Má bhíonn san le déanamh choíche ní haon
urchóid é, ach dualgas glan.

CAITRÍONA: (*fearg agus scanradh in éineacht uirthi*) Caint bhuile atá ar
siúl agat, caint
san aer, speabhraoidí agus samhlaithe an duine bhreoite.

CALBHACH: Dá mb'áil le Dia gurb ea!

CAITRÍONA: Cad eile! Le leathbhliain anuas is é an t-iompar
atá fút ná iompar duine go mbeadh piast ag creimeadh a chroí.

CALBHACH: Agus tá, a Chaitríona, tá—tá piast
ag creimeadh i ndearglár mo chroí. Is is mise scaoil isteach í . . .

mise bheathaigh í le cúram.

CAITRÍONA: (*de phléasc*) A Thiarna Dia, a Chalbhaigh, nílir
ach ag samhlú aighnis idir m'athair is tú féin!

CALBHACH: Ní haon tsamhlú é. Agus ní idir m'athair
is mé féin atá an t-aighneas. Níl ionamsa ach—

CAITRÍONA: Níl ionatsa ach an gunna cam acu—
ag Gallchobharaigh go speisialta chun an seanainimh . . .

CALBHACH: Má šea, tá daoine seachas Gallchobharaigh
sáite insan aighneas. Tá Baoilligh—is roinnt eile fós
ná hainmneod. 'S Ó Conchúir Theas, bíodh geall,
gan aon mhoill.

CAITRÍONA: An é gnó Uí Chonchúir Shligigh atá
ar bun agat?

CALBHACH: (*go mall, le hiontas*) Cé inis duit 'na thaobh san?

CAITRÍONA: . . . Eileanór.

CALBHACH: Eileanór!

CAITRÍONA: Sea, Eileanór . . . ó chaithfidh mé é nochtadh
do dhuine éigin. Níl m'athair is í féin ag réiteach lena
chéile maidin ná tráthnóna. Aighneas,
aighneas, aighneas, ar siúl acu de shíor.

CALBHACH: Ní hé go bhfuil ar aigne age Mánas
Gearóid Óg a ghéilleadh suas?

CAITRÍONA: Ní hé. Tá a fhocal tabhartha aige air sin.

CALBHACH: Bhíos nach mór ag súil gurbh é sin é.
Tá tinneas cinn agam im bholg ó bheith ag féachaint ar
an snamhaire sin ar fud an tí. Cad é
mar sin?

CAITRÍONA: Níl ann ach so, ná féadfaidís aontú
pé ní éireodh. A shlí féin ag Mánas riamh; a slí féinig leis
ag Eileanór—go dtí seo. Toisc gur scaoil sé
tusa ón dtúr an lá tar éis an phósta, ghearán sí ar

a bhoige croí. Na teachtairí ó Ghrey
a thriall anso ag éileamh Ghearóid Óig—nuair chaith sé leo
le féile is cúirtéis, is beag nár chuaigh sí
le báiní. Is anois go bhfuil cead cíosa ón gConchúrach
tabhartha aige do Ghrey fé rún . . . ag Dia
atá's!

CALBHACH: Tá deireadh, mar sin, leis an bpósadh?

CAITRÍONA: N'fheadar, n'fheadar . . .

CALBHACH: Is, ar ndóigh, iomlán an chirt ag Eileanór.
Féach, cuimhnigh air! A Thiarna, cuimhnigh air! Taoiseach chomh
neamhspleách le Dónallach Thír Chonaill ina
mhaidrín lathaí mar tá ag Sasanaigh, is go bhfuil sé
réidh, gan chúis, gan abhar, cíos a scaoileadh
leo as páirt dá dhúthaigh! Is é céad ní eile dhéanfaidh sé—
chífidh tú gurb ea—an slabhra óir
a ghlacadh uathu, ar a bhealach neamhurchóideach féin.
Ar a bhealach neamhurchóideach cam!

CAITRÍONA: (*go teann*) Tá's agat go maith é ná taibhreodh
a chroí ar aon ní cam a dhéanamh. Dob eol dom mháthair san;
is tá leithscéal ag dul dó as an tslí
mhínáireach ar mhaslaís é féin is ise ar an mbainis.

> *Cnag láidir ar an doras. Crossán ag labhairt agus é ag déanamh aithrise*
> *ar ghuth Mhánais*

CROSSÁN: Hó, a Chaitríona!

CAITRÍONA: Is é atá ann. (*Tá Calbhach ag cuimhneamh ar dhul i bhfolach*)
    Ná dein . . .
Tar leat isteach.

> *An geocach isteach*

CALBHACH: Ó, an diabhal go snaidhme do theanga ort! Tusa atá ann.

CROSSÁN: Cé eile bheadh ann, hy diddle dum,
Cé eile sa tír seo, hy diddle dum,

a bhfuil guth chomh ceolmhar aige, hy diddle dum,
le geocach an tí seo, hy diddle dum,

CAITRÍONA: Níor ghá aon chuairt speisialta uaitse chun
é sin bheith tuigthe againn—(*Sánn amach a teanga leis*) hy diddle dum!

CROSSÁN: (*a mhéar in airde aige*) Tá ár ndóthain sa tigh seo i ngluaiseacht
   na teanga
gan tusa bheith sáite ina measc!

CAITRÍONA: A Chrossáin, a bhuachaill, conas tá Gearóid
inniu?

CROSSÁN: Tá's agam conas a bhí sé inné. Inniu—níl fhios ag a mháthair
   féin é.

CAITRÍONA: Cad é? An bhfuil sé breoite?

CROSSÁN: Ó níl. Mara . . . bhfuil breoiteacht . . . mara . . . mar bhfuil
breoiteacht mara (*é á athrá go tapaidh cúpla uair aige, agus
      é mar a bheadh sé ag rámhaíocht*), hy diddle dum.

CAITRÍONA: Mhaise cad é an chaint sin ort?

CROSSÁN: (*ag duanaireacht*) Ní chun an sórt so mionchainte a thánagsa
      in aon chor.

Is teachtaire mé ó bhanríon na féile—
(*coloratura*) ó Lady Eileanór.
Ba mhaith léi do thuairisc a chur go cúirtéiseach,
is a cúnamh a thairiscint in aon tslí is féidir—
(*coloratura*) a ríbhean ó!

CAITRÍONA: Tá fáilte roimpi is roimh a cúnamh. Imigh
leat anois is abair san léi.

CROSSÁN: Tá mo dhóthain ama caite anso agam?

CALBHACH: Tá!

CAITRÍONA: Tá. Ach cead fillte agat i dteannta Eileanóir.

An geocach amach

CALBHACH: Beidh sí aníos chugat láithreach?

CAITRÍONA: Beidh.

CALBHACH: Táimse ag imeacht mar sin. (*ag cur chun imeachta*) Aon cheist amháin ort. Cad é deir an Suibhneach leis an ngnó brealsúnta so ar fad?

CAITRÍONA (*go mall*) Ní deir sé faic.

CALBHACH: An dóigh leat gur mar sin a bheidh aige go deo?

CAITRÍONA: (*ag iompú uaidh*) A Chalbhaigh, ar son Dé lig dom . . . lig
   dom

   *Calbhach amach. Seasann Caitríona nóiméad sé chorraí ag féachaint an
   fhuinneog amach. Eileanór agus an geocach isteach*

EILEANÓR: Buíochas mór le Dia, a Chaitríona,
go bhféadaim dul i bpóirse éigin insa tigh ná bím
dom chrá le hargóintí.

CAITRÍONA: Aon áit a ndeintear obair bheag ní deintear
argóint. Féach, a Eileanór, an bhféadfá roinnt den bhfáithim
seo a fhilleadh aníos dom?

EILEANÓR: Anso?

CAITRÍONA: Sea—ach ná breithnigh róchruinn an méid
'tá déanta cheana féin.

CROSSÁN: Tá sé ródhéanach.

CAITRÍONA: Cad tá ródhéanach?

CROSSÁN: Gan féachaint go cruinn le súile móra dubha
ar an méid 'tá déanta cheana féin.

EILEANÓR: Éist, agus buail fút ansan . . . Bhí Calbhach
anso?

CATRÍONA: Bhí.

EILEANÓR: Mise a chuir an teitheadh air is dócha?

CAITRÍONA: . . . Is tú. Ní mór a chaitheamh na laethe seo
i ndiaidh comhráití ban!

EILEANÓR: Ní hé sin a chloisimse. Tá daoine
ann . . . a deir go bhfuil sé imithe fiáin ar fad leo.

CAITRÍONA: Ó, na scéalta so amuigh air féin

Radharc 1

is ar na Gallchobharaigh óga? . . .

Cnag láidir ar an doras

MÁNAS: (*lasmuigh*) Hó, a Chaitríona.

EILEANÓR: A Thiarna Mór na bhflaitheas! (*Deineann í féin a choisreacadh.*
Féachann Caitríona i dtreo an gheocaigh—ar eagla na heagla)

CAITRÍONA: Tar isteach.

Mánas isteach

MÁNAS: Bhfuileann tú i d'aonar? Ó, Eileanór
. . . is d'aingeal coimhdeachta.

CROSSÁN: Ciocu is fearr, a Eileanór, a bheith
i d'aingeal coimhdeachta . . . nó bheith i d'aingeal díbeartha?

MÁNAS: Sea, sea go deimhin, a bhuachaill—ach an fhaid
is aingil sinn araon, ní gearánta dúinn! Theastaigh uaim,
a Chaitríona, cúpla ní a phlé leat . . .
Ach fanfaidh siad, ar ndóigh.

EILEANÓR: (*go róbhéasach*) Más é atá uait go n-imeoinnse is Crossán . . .

MÁNAS: Ní gá duit san in aon chor. Níor theastaigh uaim
le fírinne ach caint bheag shuaimhneasach gan tábhacht le Caitríona.
Fillfead níos déanaí.

(*Ar a shlí amach dó casann agus labhraíonn*) Dála an scéil, a Eileanór, cá
bhfuil
Gearóid beag? Ní fhaca mé aon rian de inniu.

EILEANÓR: Ní fheadarsa.

MÁNAS: Ní fheadaraís?

EILEANÓR: (*go teann*) Ní fheadar.

MÁNAS: Ceist chiúin shibhialta a chuireas ort, a Eileanór.

EILEANÓR: Is iomaí ceist shibhialta curtha agamsa
ortsa; agus is iomaí tuairim chruinn, shibhialta tabhartha
agam chomh maith!

MÁNAS: Is fuairis éisteacht agus freagra
sibhialta uaim coitianta.

EILEANÓR: Borb nó sibhialta, mar a chéile
é. Is é suim do chaintese i gcónaí riamh nach fiú
aon aird dá laghad a thabhairt ar aon ní deirim.

MÁNAS: Ní gá é seo go léir a tharrac chugainn
anuas arís. Ceist an-simplí atá curtha agam mar gheall
ar Ghearóid beag. Tar éis an tsaoil do gheallas-sa
go ndéanfainn cosaint dó—sa tslí nach féidir liom
a mheas go ngabhann sé i gcoinne an réasúin—

EILEANÓR: Tú féin agus do chuid réasúin! Bheinn buíoch
de Dhia dá bhféadfainn poll aimsiú sa tigh 'narbh fhéidir faoiseamh
fháil uaidh tamall. Níl aon tor aitinn insa
sliabh gheibheann oiread gréine is gaoithe—is atá chomh buí,
chomh seirgthe—led chuid réasúinse.

MÁNAS: (ag éirí teann ar deireadh) Fág mo chuid réasúin . . . is freagair mé.
Cá bhfuil Gearóid beag?

EILEANÓR: (ag athnasc air) Cá bhfuil Gearóid beag . . . cá mbeidh iasc
is ba, is olann Uí Chonchúir an taca so an bhliain
seo chugainn?

MÁNAS: Is é sin le rá? . . .

EILEANÓR: Is é sin le rá, gur cuma duitse insa
diabhal cá bhfuil Gearóid óg!

> Scuabann sí amach as an seomra. An geocach ina diaidh go mall is
> 'Samhaircíní' á fheadaíl aige. Sos

MÁNAS: (go mall) Bhuel, a Chaitríona, is mar sin
atá; is dóigh go raibh a fhios agat?

CAITRÍONA: Bhí, a Mhánais.

MÁNAS: Tá cathú orm, a ghearrchaile,
go bhfuilimid mar seo ag lot na laethe deireanacha
anso agat. Is baolach ná fuil leigheas air.

CAITRÍONA: Ná bac é sin. Tá saol mór sona romhamsa

fós le cúnamh Dé. (*go croí-éadrom*) Nach cuimhin leat crann caol óg na
   sceiche
gile ar tharraingís pictiúr de os comhair
lucht bainise?

MÁNAS: (*go tuirseach*) Is fearr go mór an pictiúr tharraingeoinn
anois—dá mbeadh an fhoighne agam—den seana-chrann beithe seo
i ndiaidh na hanaithe . . . (*Sos.*) A Chaitríona
theastaigh uaim . . . le fada anois . . . an cheist seo chur ort. Agus
tabharfair freagra go macánta dom, ná déanfair?

CAITRÍONA: Gan amhras, déanfad.

MÁNAS: Ní rabhais-se leis míshásta liom ón uair
ar phósas . . . chomh luath . . .

CAITRÍONA: Ó ní rabhas. Ní rabhas.

MÁNAS: Ní labharfam focal eile ina thaobh
mar sin. Ba mhaith ab eol dom go dtuigfeása ar aon nós dom,
a ghearrchaile. (*Sos.*) Ní dóigh leat Gearóid beag
bheith breoite nó aon ní?

CAITRÍONA: Seans go bhfuil slaghdán air—más maith mo thuiscint
ar an mbriolla brealla bhí ar bun age Crossán.

MÁNAS: Sin é is dócha . . .Sea, a Chaitríona
ní haon mhaith a bheith ag déanamh cainte nuair ná silfidh
sí ach 'na braonacha.
(*Ag imeacht go dtí an doras*) Dála an scéil, ní fheacaís Calbhach
aon uair le déanaí?

CAITRÍONA: Bhí sé anso—ní fadó shin é.

MÁNAS: Ní dúirt sé aon ní?

CAITRÍONA: Ní dúirt . . . a lán . . . (*cuimhníonn sí ar rud éigin a thaitneodh
   leis*) . . . ach náire bheith air bualadh
leat.

MÁNAS: Bhuel . . . an . . . méid sin féin. (*amach*)

Brat Anuas

Gníomh II

RADHARC II

Níos déanaí, áit éigin sa chaisleán. Dorchacht.
An tAthair Eoghan ag caint le Calbhach

ATHAIR EOGHAN: Ní ceart duit feasta ligean dos na nithe sin tú bhuair-
eamh ach iad a dhíobhadh glan as d'aigne. (*Baineann de an stóil
fhaoistine.*) Is cuimhnigh sara n-imíonn tú uaim anois go raibh an
ceart, sa bhealach so, ag Caitríona. An té againn gur mian leis aon ní
thar an gcoiteann a thabhairt i gcrích sa tsaol so, ní mór dó tráth
áirithe éigin, ina shlí áirithe féin, an gníomh barbartha a dhéanamh.
Roinnt againn, bíonn aghaidh na ndaoine orainn, roinnt againn ná
bíonn. Roinnt againn a leagtar orainn é; roinnt againn ná leagtar. Is
cuma é. Ach más gá duitse an gníomh a chíonn tú romhat a dhéanamh
—is tá roinnt dá dhealramh air, go deimhin, gur gá—seachain nach le
feirg a dhéanfair é, ach le barr cineáltais. . . Féach, a Chalbhaigh, bhí
naomh i Laighnibh tráth, Colmán, is nuair a theilg a mháthair í féin
sa doras roimis, á chosc, shiúil sé thar a corp amach . . . is d'imigh leis
ina dheoraí Dé. Ach le cineáltas a dhein sé é. Ní dúirt sé an focal féin
a ghoinfeadh. Deinse leis an chneastacht. Ná dein go háirithe aon
fhuil a dhoirteadh . . . fuil an té atá sa doras agat féin.
Bhí baol go dtí seo ann, a bhuachaill, go raghfása thar fóir. Bhí drúis
á dhéanamh agat sa ghnó so leis. Is dócha go raibh cúiseanna do dhó-
thain agat—ba leatromach leat go mór mór gurbh ortsa, thar dhaoine
eile an tsaoil, a leagadh an chruáil is dóigh leat atá le cur i ngníomh.
Ach má chaithfir bheith cruálach, tuig do chruáil féin. Tuig go
speisialta conas arb ortsa leagtar í.
Má bhíonn an gníomh barbartha so agat le déanamh, is de bharr na
fola a shealbhaíonn tú san. Deir Críost ár dTiarna linn go dtiteann
peacaí an athar ar an mac. Sinne inniu atá chomh neamhspleách,
chomh muiníneach san i neart ár dtola, is i ndraíocht ár bpearsant-

achta féin, ní ghéillimid ar fad d'aon fhocal mar sin—áibhéil bheag é seo ag Críost a cheapaimid. Níor dhein Críost aon áibhéil. Iompraímid go léir, is fíor, peacaí a chéile. Ach iompraíonn an mac ar shlí speisialta trom peacaí a athar. . . Féach, do léas-sa uair ag fear naofa ó oirthear domhain gurbh aithnid dó sé ghlúin i ndiaidh a chéile a damnaíodh de bharr pheacaí an athar. Níor dhein an naomh aon ionadh de. Ní dóigh liom gur gá dúinne—má thuigimid in aon sórt slí an lacht mistéireach a scéitheann sna féithe againn.

Mar nuair a ghineann fear a mhac, gineann sé chomh maith bunús na fola ann. Má bhíonn fuil an athar dubh ag a urchóidí, is mar sin leis a bheidh bunús na fola ag a mhac. Níl aon dul uaidh. Ach an té a dtiteann mífhortún na fola duibhe air, titeann chuige leis fortún geal grásta. Agus iarrfar air, tabharfar dó an chaoi, an beart trom, an gníomh barbartha, a dhéanamh—chun an fhuil a ghlanadh, í thabhairt chun deirge arís, í chlaochlú ar ais. Iarrfar b'fhéidir ar an duine sin siúl thar chorp a mháthar . . . nó a athair a cheangal sa dorchacht. Má chúlaíonn sé ón ngníomh, damnófar é; is raghaidh an fhuil i nduibheacht sna féithe.

Mar sin leis, i bhfoirm, i gcás fuil chine. Sinne a shiúlann fén scamall céanna, a dheineann caidreamh is a phósann, a maraítear i dteannta a chéile nó a gheibheann bás . . . tagann gaolmhaireacht sa bhfuil againne leis. . . Is eol don bhfuil ionainn le sinsearacht na bearta atá riachtanach dár gcás, is na bearta atá as an tslí ar fad; atá urchóideach. Aithníonn an fhuil a chéile. Aithnírse is aithnímse a chéile . . . ach ní aithníonn ceachtar againn a thuilleadh d'athair. Tá sé imithe as ár n-aithne glan. An beart ar fad atá ar bun aige ní dár gcuidne fola é, is éagóir ó bhonn é ina choinne. Is beart é a threasnóimid, a threasnófar, pé áit den tír, pé am, a tharlóidh. An t-am so, san áit seo, is tusa, a chomharba is a mhac, a chaithfidh, de réir dealraimh, an trasnú a dhéanamh—ar eagla go dtiocfadh sé chun baile dos na Dónallaigh go raibh sé ghlúin acu i ndiaidh a chéile a theip . . . a ghéill . . . a damnaíodh.

Mar sin, a bhuachaill, guigh gach lá atá romhat, dar gach sileadh fola atá torthúil, dar an f huil a shil fé dheilgne na corónach age Críost, dar an f huil mhíosúil a shil do mháthairse is mo mháthairse, dar an f huil a shil do shinseanathair Calbhach ag Cath an Bhealaigh Mhóir, guigh ná caithfirse, más féidir san, aon f huil a dhoirteadh go fionaíleach. An té a scaoileann a chuid fola féin, ídíonn sé a athair is a mhuintir chomh maith leis féin; an té a scaoileann fuil a athar nó a mhuintire ídíonn sé é féin.

Brat Anuas

RADHARC III

An Halla Mór, oíche an lae chéanna. An bord leathchóirithe. Tá cailíní freastail fós ag obair. Carn luachra sa chúinne tosaigh, ar dheis. An doras mór gan a bheith iata ar fad. Tá an gunna cam ar crochadh le hais an staighre

CAITRÍONA: Is dóigh nár mhiste an luachair úr a leathadh amach anois?
EILEANÓR: Ná beidh a glaise tréigthe orainn fé mhaidin leis an gcosaráil go léir?
CAITRÍONA: Beidh beagán, ach caithfimid bheith sásta. B'fhearr liom gan an iomad fústair bheith anso ar maidin roimis an gcruinniú . . . Seo libh, a ghearrchailí, tá bhur ndóthain déanta agaibhse anocht. Ní mór nó tánn sibh traochta amach.

Imíonn na cailíní. Crossán isteach an doras mór; é gléasta mar bheadh eitleoir

I gcuntas Dé na Glóire cén pláinéad
ar thuirlingís-se de?

CROSSÁN: Ní rabhas ar aon phláinéad ach an pláinéad a mbím coitianta.
(*go haerach*) Is ní fhéadaim tuirlingt de sin—ding dong ding!

CAITRÍONA: Mura dtuigimid féin tú—creidfimid!

CROSSÁN: Bhuel . . . (*ag míniú di*) is tuisceanaí ná taoiseach mé.

CAITRÍONA: Abraimis gurb ea!

CROSSÁN: Ní den bhfuil ríoga mé . . .

CAITRÍONA: Sea?

CROSSÁN: Ní hé sin mo phláinéadsa—ní fhéadaim bheith im thaoiseach!

CAITRÍONA: Is pláinéad a bheith id thaoiseach?

CROSSÁN: (*go simplí dáiríre*) Pláinéad anuas ar dhuine é sin . . . muran
duine an-spioradálta tú . . .Duine an-spioradálta mise!

CAITRÍONA: Abraimis arís gurb ea!

CROSSÁN: Tá pláinéad lastuas de dhaoine spioradálta.

CAITRÍONA: Níor dheachais ann?

CROSSÁN: Ní fhéadfainn. Ní bhfuaireas an glaoch. Ní ghlaotar mórán
na laethanta so—is pé scéal é (*go truamhéileach*) ní fhásann aon fhéasóg
orm.

CAITRÍONA: Tá gá le féasóg ar an bpláinéad so lastuas?

CROSSÁN: Féasóg rua lán de charthanacht.
Ach bhí mo mháthair maol is m'athair bocht maolintinneach—
is d'fhág san uile mise chomh mín chomh hálainn
le cailín—gan géaga fada a ndóthain agam, ná
féithleoga daingean go leor agam, (*ag pointeáil*) 's gan gunna
cam nó díreach agam chun cogaíochta ins an Mars seo
im thimpeall.

CAITRÍONA: Dia linn, Crossán bocht! Pláinéad neamhghnách
atá anuas ortsa.

CROSSÁN: (*le dínit agus údarás*) Bíodh fhios agat gur mise an t-aoinne
amháin

sa tigh ná fuil pláinéad ar bith anuas air. Riaraímse le
máistríocht mo dhomhan beag féin. Bím laistíos
is lastuas, laistigh agus lasmuigh, de réir mar oireann dom.
Rugadh mé roimh Chríost is fuaireas bás
tar éis an ain-Chríost. (*é corraithe, is léir, ar deireadh*)

CAITRÍONA: B'fhéidir, a Chrossáin, go bhfuil do chaint
beagáinín . . . uaigneach . . . dúinn anocht. (*Níl ag éirí léi
bheith chomh héadromchroíoch is ba mhaith léi bheith*)

EILEANÓR: Sea, má sea, bain díot anuas do bhalcaisí,
is bí id bhuachaill maith, mar chách.

CAITRÍONA: Caithfeadsa cur díom in airde staighre.
Oíche éigin eile, a Chrossáin . . . Ná bac le haon ní
eile anso, a Eileanór (*ag imeacht*).

CROSSÁN: (*beagán truamhéileach*) A Chaitríona . . .

CAITRÍONA: Sea, a bhuachaill?

CROSSÁN: Beannacht Dé leat.

CAITRÍONA: Beannacht, a bhuachaill. (*Imíonn léi arís*)

CROSSÁN: A Chaitríona . . .

CAITRÍONA: Sea, a bhuachaill?

CROSSÁN: Is beag duine a mbíonn oíche éigin eile aige go deo. (*Féachann
sí go neamhthuisceanach air.*)

Beannacht, a Chaitríona. (*Pógann sé a lámh*)

CAITRÍONA: Beannacht, a bhuachaill.

   Imíonn. Sos beag. Dúnann an geocach go cúramach an doras mór

EILEANÓR: Bhuel, a bhuachaill?

CROSSÁN: (*ag déanamh aithrise ar Mhánas*) Ó hó, a Eileanór! (*Preabann
ina sheasamh is caitheann anuas de féin na balcaisí.*) Ó hó, a Eileanór
(*go meidhreach*).

EILEANÓR: Tá gach ní i gceart?

CROSSÁN: Chomh ceart le cearc sa tsáspan!

EILEANÓR: Chonaicís an Gallchobharach?

CROSSÁN: Hm-m-m-m!

EILEANÓR: Tá Gearóid imithe mar sin?

CROSSÁN: (*ag sméideadh*) Maidin inniu
d'imigh an t-éan
ag snámh mar bheadh iasc,
is ní fada an ré
go mbeidh sé ina Fhrancach (*é ag rince is ag duanaireacht*).

EILEANÓR: Leis an nGallchobharach féin a bhís ag caint?

CROSSÁN: Hm-m-m-m!

EILEANÓR: Níor oscail sé a bhéal?

CROSSÁN: (*ag croitheadh a chinn*) N-n-n-n-n!

EILEANÓR: Le Calbhach fiú amháin?

CROSSÁN: N-n-n-n-n-n-n!

EILEANÓR: Go Calais cinnte a bhí a dtriall?

CROSSÁN: Hm-m-m-m! (*gliogarnach airgid ina láimh*)

EILEANÓR: An é sin mo chuid airgid id láimh agat?

CROSSÁN: (*sméideann*) Daichead giní buí a thugais don Ghallchobharach,
fiche giní do chaptaen an bháid,
a tháille féin don Ghallchobharach,
is deich gcinn fágtha d'Eileanór im láimh.

EILEANÓR: Cúig cinn déag d'Eileanór! (*ag áireamh*) Daichead ar fad.
Fiche giní a deir tú do chaptaen an bháid. Ní raibh ach cúig cinn ag
dul don Ghallchobharach . . . Fágann san cúig déag d'Eileanór.

CROSSÁN: (*le simplíocht*) Ní fíor. Deich gcinn d'Eileanór! Mar do
mhínigh an Gallchobharach dom gur dhein sé margadh chomh
breá le fear an bháid gur choinnigh sé cúig cinn bhreise dó féin.

EILEANÓR: A Chríostaithe na bhflaitheas! Na hUltaigh chama
so! Sín chugam iad.

CROSSÁN: Maidin inniu
d'imigh an t-éan (*ag caitheamh cinn chuici*)
ag snámh mar bheadh iasc,

is ní fada an ré (*ag caitheamh cinn eile*)
go mbeidh sé ina Fhrancach . . .

> *Tugann an t-airgead ar fad di. Imíonn Eileanór in airde staighre. Crossán
> ag féachaint go himpíoch ina diaidh. Caitheann sí bonn óir chuige.
> Deineann sé ballet beag timpeall an tseomra ansin, is é ag duanaireacht.
> Cnag ar an doras mór. Cúbann chuige féin. Cnag níos airde. Osclaíonn.*

> *An tAthair Eoghan isteach*

ATHAIR EOGHAN: Dia anso—

CROSSÁN: Ó, an fear! An fear é féinig! (*Sléachtann roimhe*)

ATHAIR EOGHAN: Éirigh suas anois, a bhuachaill.

CROSSÁN: Ach táim chomh sásta san bualadh leat arís, is tú id
Phroinsiasach.

> *Tagann Mánas anuas an staighre*

MÁNAS: An é sin an tAthair Eoghan?

CROSSÁN: (*ag sciorradh thairis suas an staighre*) Is é Leairrí na nAdharc é.
Leairrí na nAdharc. (*Imíonn*)

ATHAIR EOGHAN: Chuiris fios orm, a Mhánais?

MÁNAS: Chuireas, a Athair, chuireas; agus leis
an bhfírinne a insint ní ar mo shuaimhneas
atáim anois . . . go . . .

ATHAIR EOGHAN: Ní gá duit san.

MÁNAS: Tá's agam nach gá. Ba dhóigh leat orm
gur ghearrchaile mé, fé sceitimíní gorma,
ag iompar a céad pheaca os comhair an tsagairt
insa bhfaoistin.

ATHAIR EOGHAN: Mar sin féin, a Mhánais, ní shamhlaím
gur sceitimíní faoistine atá ortsa anois!

MÁNAS: Ceart agat is baolach!

ATHAIR EOGHAN: Cad is gá mar sin an imní?

MÁNAS: Ar eagla go measfá dom bheith mí-
mhacánta insa mhéid a déarfad leat anois; go léifeá

as mo chaint gur camastaíl atá
ar bun agam.

ATHAIR EOGHAN: Tá aithne mhaith go leor againne ar
a chéile—seo leat, cuir díot é.

MÁNAS: Go hachomair dhá rud 'tá uaim; easpag
dhéanamh díotsa in am 's i dtráth sa deoise so Ráth Bhoth—
is do chabhair a lorg chun beartas áirithe
a chur chun cinn im dhúthaigh.

ATHAIR EOGHAN: Lán béil i gceart an méid sin!

MÁNAS: Tuig, a Athair, nach aon bhreab a thairgim duit . . .

ATHAIR EOGHAN: Tuigim san. Ach an cúnamh so ba mhaith
leat uaim? . . .

MÁNAS: (*go simplí*) Cúnamh chun mo dhúthaigh a shaoradh ó
dhísciú.

ATHAIR EOGHAN: Sin é is cás dúinn uile.

MÁNAS: Is é, a Athair. Ach chím im chroí istigh ná beidh
aon rath orainn go deo má leanaimid mar táimid.

ATHAIR EOGHAN: Ba mhaith leat slite eile tharrac chugat?

MÁNAS: Díreach.

ATHAIR EOGHAN: Slite nua iad—slite faiseanta
mar déarfá féin.

MÁNAS: Díreach é; is tusa bheith id fhear teanga agam
i measc na bhfothiarnaí.

ATHAIR EOGHAN: Chun na slite sin a áiteamh orthu?

MÁNAS: Chun na slite sin a áiteamh orthu.

ATHAIR EOGHAN: Nach breá gur mise thoghann tú chun na hoibre
seo?

MÁNAS: Ní dallachán ar fad mé, a Athair; is tá's
agam go maith cén éisteacht thugtar duitse, is cén t-omós,
id thaistealaibh ar fud na dúiche. Ná fuil
aon tiarna beag ná mór—an Gallchobharach fiú—nár bheag leis

mac a uchta féin a ghéilleadh suas
de Ghrey chun do cheannsa shaoradh ón gcroch.

ATHAIR EOGHAN: Ach abair is ná creidim ins na slite
nua so agat?

MÁNAS: Duine gan réasún ná creidfeadh iontu.

ATHAIR EOGHAN: Ba chóir go dtuigfeá láithreach uaim, a Mhánais,
nach fear réasúnta mise.

MÁNAS: Pé acu réasúnta tú, a Athair, nó
a mhalairt is follas duitse chomh maith liomsa an staid a bhfuil
an tír.

ATHAIR EOGHAN: Is follas is is rófhollas. Gairdín
an deiscirt ina fhásach, is inneall mór na barbarachta
ag bailiú nirt aneas.

MÁNAS: Inneall a dhísceoidh den tsaol an cine
seo ar fad, ó thuaidh 's ó dheas; a spealfaidh sinn de uachtar
na talún.

ATHAIR EOGHAN: Ní déarfainn san in aon chor. Ní mór go dtéann
aon chine ar ceal a fhanann greamaithe 'na ionad is
'na dhúchas féin. Dá mhéad a spealfar, fásfaidh
sé go borb glas arís—uair éigin—ar nós na luachra (*ag síneadh a mhéire
i dtreo an chairn sa chúinne*)

MÁNAS: Sea, sea, ach caithfir admháil ná fuil
aon taoiseach fágtha anois sheasóidh aon tamall féin, ach mise—
is an Niallach.

ATHAIR EOGHAN: Is má admhaím?

MÁNAS: Conas ar son Dé a thiocfam slán?

ATHAIR EOGHAN: Tiocfam slán—uair éigin—más dúchas fir
den tír seo a bhíonn san uile dhuine againn.

MÁNAS: Agus cad é sin?

ATHAIR EOGHAN: Toisc go bhfuilimid rólag—'s go rabhamar
riamh—chun réiteach fónta a cheangal leis an namhaid, níl fágtha

ag **fear** sa tír seo ach—buille a bhualadh an uile
uair a bhfaigheann sé seans oiriúnach air!

MÁNAS: (*fearg bheag air*) Ní fíor!—is tá's agat nach meatacht ná
seanaois fé ndear dom san a rá.

ATHAIR EOGHAN: Níor shamhlaigh aoinne meatacht leatsa riamh,
a Mhánais.

MÁNAS: (*mar a bheadh ag machnamh os ard*) Throid na Brianaigh is na
Gearaltaigh

i gCúige Mumhan. Do bhuadar uaireanta, ach is minicí
a chailleadar; is anois tá Grey á ndísciú
mar a dhéanfadh scata bó—is Gearóid óg, an Gearaltach
deireanach, fém choimircese anso.

Throid na Búrcaigh tamall leis i gConnachta; is ní throidfidh
siad a thuilleadh. An Niallach, agus mise,
má throideamar a chéile, throideamar chomh maith an Sasanach;
is dá gcuirfimis le chéile fós
do bhuafaimis ar feadh i bhfad. Ach níos déanaí ní bhuafaimis
chomh minic céanna—is ar deireadh
chloisfí sinne leis ag géimnigh fén gceapord, is ár dtailte
méithe á roinnt amach ar lámha strainséirí.

Ná feicir, a Athair Eoghan, nach díon caisleán ná dún ná an iargúltacht
féinig feasta, is a bhfuil d'ordanás
de mhuscaeidí is de ghunnaí nua gan áireamh ag
an Sasanach. 'S ainneoin an tsuaimhnis bhig
atá againne anso ó thuaidh le bliain nó dhó anuas,
gurb é an chríoch a dúrt a bhéarfaidh sinne
leis, má leanaimid den troid áiféiseach seo.

ATHAIR EOGHAN: Más í féin, cad eile dhéanfá?

MÁNAS: Ligint don chogaíocht go fóill . . .

ATHAIR EOGHAN: Agus sa tslí sin?

MÁNAS: An talamh a ghreamú; deimhin a dhéanamh

nach ar choillte taise Leithbhirr, ná ar réigiúin anaithnide
thar lear a bheidh mo shliochtsa, is sliocht
mo shleachta ag tabhairt a n-aghaidh . . .

ATHAIR EOGHAN: D'iarrfá orm mar sin cur díom ó dheas
gan mhoill 's a áiteamh ar Chonchúrach Shligigh . . .

MÁNAS: Tá sé cloiste agat. Cé? . . .

ATHAIR EOGHAN: Áiteamh ar Chonchúrach Shligigh . . .

MÁNAS: (*fearg ag teacht arís air dá ainneoin*) Cé inis san duit?

ATHAIR EOGHAN (*croitheann a cheann go diongbháilte mar chomhartha nach
    n-inseoidh*) . . . gurb é a leas is leas Thír Chonaill iasc
is ba is na carna olla a scaoileadh le
Lord Grey.

MÁNAS: Agus a rá chomh maith go gcoinneoidh seisean
a chuid talaimh insa tslí sin, gan saighdiúir Gallda amháin
a chur a choise anuas air! 'S go gcúiteoidh
an Dónallach a chaill leis.

ATHAIR EOGHAN: Beidh Conchúrach Shligigh toilteanach,
dar leat?

MÁNAS: Beidh. Fear ciallmhar é—más báirseach choiteann
féin atá mar bhean aige.

ATHAIR EOGHAN: Í siúd a shocróidh.

MÁNAS: Tá an focal fachta aigesean chomh maith
liom féin go bhfuil gach aon ní beartaithe ag Grey le haghaidh
an ruathair mhóir ó thuaidh; is gurb é Sligeach
an chéad chuid dem dhúthaighse a bhánófar.

   An Suibhneach isteach an doras mór. Fústar air nach gnách, is saothar
MÁNAS: Abair leat.

SUIBHNEACH: Ó Conchúir . . .

MÁNAS: Amuigh againn?

SUIBHNEACH: Ní hea.

MÁNAS: Abair leat mar sin. Ní gá aon cheilt
anso.

SUIBHNEACH: Sa dún agamsa theas a fhágas é—
ní fhéadfainn a dhearbhú go bhfuil sé fós ann.

MÁNAS: Ar a shlí anso a bhí sé—is scéala aige,
bíodh geall, go mbeadh a sheanachara Grey
ag éileamh cíosa air feasta.

SUIBHNEACH: (*díomá air*) Conas ab eol duit san?

MÁNAS: Is cuma anois.

SUIBHNEACH: Nach amárach ag cruinniú na dtaoiseach
bhís-se chun an scéal a lua leis den chéad uair? Cé scéigh
roimh ré?

MÁNAS: (*go teann*) Sin ceist atá le freagairt fós. Cad deir sé
ar aon chuma?

SUIBHNEACH: Ní fheadar. Ní fheadar aoinne i gceart. Bhí sé
briotach i gcónaí—ach is ciallmhaire an chaint anois
a dhéanfá lena chapall!

MÁNAS: Tá sé míshásta mar sin?

SUIBHNEACH: D'fhéadfá san a rá!

MÁNAS: Agus mheas sé teacht anso roimh ré, anocht?

SUIBHNEACH: Do mheas. 'S é a dúirt sé liom dá mb'í a bhean
mo bheansa, is deargbhior a teangan orm de shíor agus
de ghnáth, go raghainn roimh ré ar rendezvous
le Beelzebub!

MÁNAS: Sea . . . bíodh a chuireadh aige roimh ré. Má thagann
sé anso gan mhoill tar éis bhreacadh an lae ar maidin, déanfaimid
roinnt cainte leis roimh theacht na dtaoiseach
eile. Díbreom, a Athair Eoghan, an púca scanrúil baineann
atá ag marcaíocht ar a dhroim aige!
Chífidh tú go n-éireoidh linn.

ATHAIR EOGHAN: Ón aithne atá agamsa ort, a Mhánais,

déarfainn go n-éireoidh. Má éiríonn féin, áfach, ní hé
is dóigh leat go mbeidh Grey lánsásta le cíos beag
Uí Chonchúir go deo na ndeor?

MÁNAS: Ní bheidh gan amhras. Éileoidh sé a thuilleadh.
Is nuair éileoidh, ní ghéillfear suas aon chíos dó.

ATHAIR EOGHAN: Ansan sea bhrúifidh ort an t-inneall!

MÁNAS: Má bhrúnn an iomad, bogfaimidne ábhar;
is seans nár mhór don Suibhneach nó don Bheirneach nó do thaoiseach
éigin eile, a chuid féin olla is ba
thabhairt uaidh. Is leanfaimid mar sin ag séideadh bog is crua leo . . .

ATHAIR EOGHAN: Sea?

MÁNAS: Is beidh gach fód dár gcuid taltaí againn
i gcónaí, saor. Saor, neamhspleách! Tír Chonaill ar fad: gach crann,
gach abha, gach bláth ann, gach lon ar sceach; 's cuid mhaith
de thuaisceart Éireann uile, dá leanfaí cruinn ár sampla.

Sos

ATHAIR EOGHAN: Taoi simplí, a Mhánais.

MÁNAS: Simplí? Ní beag mo chleachtadh ar an saol.

ATHAIR EOGHAN: Ná tuigeann tú mar sin nach cíos, dá mhéad é,
atá i gcúl a chinn ag Sasanach ar bith sa tír seo,
ach talamh, ár gcuidne talaimh. Mar, féach, tá deireadh
anois aige le húdarás aon diachta a bhacfadh é;
is chífear ná beidh feasta aige mar údarás
ach diacht theasaí na fola aige féin. Sa chás
nach mór dó talamh an fhir thall, inniu
níos mó ná riamh, chun dogma mór na fola san chomhlíonadh:
a shíol a scaipeadh mar is dóigh leis ordaigh
Dia dhó. Tá's agamsa san anois, ach thugas tamall
ina measc sula bhfaca míol an uabhair
fé shleamhainriocht a gcúirtéise. (*ag iompú*) Nach fíor dom san a
     Shuibhnigh?

SUIBHNEACH: Is deacair liom a rá.

ATHAIR EOGHAN: Ach cad é a deirir leis an mbeartas so
ar fad?

SUIBHNEACH: Is é mo ghnósa, a Athair, toil an Dónallaigh
a dhéanamh.

ATHAIR EOGHAN: Ach ní foláir nó nílir gan do thuairim
féin.

SUIBHNEACH: (*go mall*) Má gheibhimid aon tacaíocht ab fhiú a lua
ó Ghearaltaigh, ar chúl an namhad—níl sé ansan dodhéanta.

ATHAIR EOGHAN: Sin a ndéarfá?

SUIBHNEACH: Aon fhear a bhíonn ag pósadh, a Athair, i gceann
seachtaine nó mar sin, is díchéillí an mhaise dó
a bheith ag tabhairt breithiúntaisí. Beannacht.

An Suibhneach amach. Crossán le feiceáil ar an staighre

CROSSÁN: Má phósair choíche, a Athair Eoghan, pós an tseachtain seo
caite, nó mar sin.

MÁNAS: Ná dúrt leat roimhe seo, a Chrossáin, gan bheith
. . . ag snamhaireacht ar fud na háite.

CROSSÁN: Ní haon snamhaire mise. (*ag siúl anuas dó le hard-dhínit*) Níor
chuas ar aon scoil fhaiseanta—ach siúlaim go réasúnta dínitiúil. Is tá
mo mhachnamh is mo mheon chomh díreach glan le céim mo shiúil.

MÁNAS: (*greim á bhreith aige air*) B'fhéidir nár mhiste leat siúl romhat
amach,
mar sin, chomh glan, chomh díreach is a shiúlais
romhat isteach!

CROSSÁN: (*údarás ina ghlór*) Bog díom!

MÁNAS: Hu! Na geocaigh féin ag éirí údarásach.

CROSSÁN: (*trua á lorg anois aige*) Bog díom! Imeoidh mé gan mhoill.

ATHAIR EOGHAN: Bog de, a Mhánais, tá sé leochaileach.

MÁNAS. Sea (*bogann a ghreim*), ach cad chuige an t-údarás?

CROSSÁN: Filí ab ea mo shinsirse.

MÁNAS: Taoisigh ab ea mo shinsirse.

CROSSÁN: Filí ab ea mo shinsirse sular cuimhníodh ar shinsir a sholáthar duitse. (*níos aeraí ansin agus é ag rince*) Ach chnag duine dem shinsirse a bhlaosc.

MÁNAS: Ní haon ionadh san linn.

CROSSÁN: Is dá gcnagfadh duine ded shinsirse a bhlaosc chomh maith— d'fhéadfása siúl agus machnamh chomh glan, chomh díreach liom féin. (*é ag siúl go státúil arís*)

MÁNAS: Ní beag san. Tá ár ndóthain mhór den ghearrachaint seo cloiste againn. (*á bhagairt amach*)

CROSSÁN: Ach thánagsa anso ar theachtaireacht.

MÁNAS: Ó—tháinís!

CROSSÁN: Lady Eileanór a dúirt liom ...

MÁNAS: Brostaigh ort. Cad dúirt sí?

CROSSÁN: Gurb áiteamh gan deireadh bhur n-áiteamhsa; is d'iarr sí ormsa—go cneasta—a bhreithniú dom féin cathain ba dhóigh liom a fhéadfaí a áiteamh oraibhse beirt go raibh deireadh áitithe agaibh. Gur mhaith léi féin roinnt cainte leat.

MÁNAS: Neomaitín beag eile, abair léi.
Beidh an tAthair Eoghan ag imeacht láithreach.

CROSSÁN: Neomat fé shuaimhneas agat mar sin ... Is an fhaid atáim ag imeacht ba mhaith liom ponc beag den bhfealsúnacht ard a mhúineadh duit. An modh díreach, sin é a thugtar air sna leabhair. Is sid é é: Nach cumas d'aoinne siúl chomh díreach glan amach is a shiúil sé roimhe sin isteach! (*Siúlann amach go tuathalach agus dronn air*)

MÁNAS: A Cholmcille bheannaithe, an gcloiseann tú é seo? Is dócha go siúlóirse leis amach ar lorg an fhealsaimh, a Athair.

ATHAIR EOGHAN: Siúlód, is baol; ach labharfaimid le chéile arís 'gceann cúpla lá. Is má dhealraíos-sa leis bheith údarásach, maithfir dom. Is amhlaidh a bhraith

an mheanma istigh ionam, an mheanma a beathaíodh
ionainn go léir, le sinsearacht fhada fulanga
is fola, is machnamh oíche, éigean bunaidh bheith
á dhéanamh uirthi agat led bheartas nua.

MÁNAS: Ní fíor duit, a Athair Eoghan, é sin. Mar táim
go dearfa ar mo dhícheall d'fhonn nach gá aon ghéilleadh go mbeadh
col dá laghad age mo shinsir leis,
a thabhairt do Shasanaigh. Machnaigh air is pléifimid
arís é. Is fágfam . . . cursaí eaglaise
go dtí san leis.

An tAthair Eoghan ag imeacht

Dála an scéil, a Athair Eoghan . . . an bhfacaís
Calbhach le déanaí?

ATHAIR EOGHAN: Bhíomar beirt ag caint le chéile anois beag.

MÁNAS: Sea, ach ar chuala tú na scéalta so? . . .

ATHAIR EOGHAN: Ní gá aon bhuairt bheith ort 'na thaobh, a Mhánais.
Beidh sé ceart go leor.

*An tAthair Eoghan amach. Mánas ag féachaint roimhe go machnamhach
nóiméad. Eileanór anuas*

MÁNAS: Tá's agam is dóigh liom cad ba mhaith leat
rá liom?

EILEANÓR: *(ionadh uirthi)* Cad é?

MÁNAS: Go bhfuil aiféala ort go rabhais chomh borb
liom ar maidin.

EILEANÓR: Ó! bhí san imithe as mo cheann
ar fad.

MÁNAS: Níl aiféala ort mar sin?

EILEANÓR: Tá, ó tá. Ní raibh aon chiall, is dóigh,
le m'iompar—ach gur theastaigh uaim bheith scartha leat an uair sin.

MÁNAS: Cad ab áil leat díom mar sin?

EILEANÓR: (*an-chiúin, an-thomhaiste*) Theastaigh uaim a rá leat ná raibh
ar aigne
agam fanúint sa tigh seo feasta.

MÁNAS: Cad é! Cad deireann tú!

EILEANÓR: Táim ag imeacht ón áit seo is ag filleadh
abhaile go Cill Dara.

MÁNAS: Díth céille!

EILEANÓR: Ón lá a thánag insa tigh seo ní raibh
agatsa ná agamsa suaimhneas. Ní fiú dúinn bheith ag clipeadh
a chéile a thuilleadh.

MÁNAS: Is agatsa ar fad bhí leigheas an scéil sin.

EILEANÓR: Tá's agam gurbh ea—dá mbeinn lánullamh
ar do réirse dhéanamh, aon uair a ligfeá fead orm.

MÁNAS: Ní fíor é sin—is tá's agat go maith é.
Is gá duit bheith géilliúnach dom anso; ach, ní iarann
aoinne ort a bheith id mhaidrín
lathaí.

EILEANÓR: Bhuel ní fhéadaim bheith géilliúnach duit.
Is Gearaltach mise, agus bhí fir im chuibhreann tráth. Is nuair
a briseadh iad, is ormsa thit sé ansan
gach pioc den aighneas, den chomhcheilg, a stiúradh i gcoinne Ghrey
is a phaca deamhan; agus is ormsa thit sé,
leis, an Gearaltach deireanach dá shliocht a chur ar láimh
shábhála. Mar sin, tuigim cad is troid ann,
cad is fulang, cad is fuath don namhaid—is ní bhfaighim aon phioc de
ins an áit seo.

MÁNAS: Tá breall ort—ach tá an méid sin mínithe agam
duit fadó.

EILEANÓR: Níl aon ní mínithe agatsa domhsa.
Taoi ródheimhnitheach ded thuairim riamh, sa tslí nach fiú
led chroí an dua a bhaineann leis na gnáth-

mhíniúcháin dhaonna. Ní heol duit cén grá Dia ag daoine eile
é, is cad é mar shlánú muintearais,
aigne á hoscailt dóibh gan cheist aníos is anuas.
Mar ní bhfaightear uaitse riamh ach tarcaisne
na haigne dúnta.

MÁNAS: Móidím gur dheineas iarracht thar mar dheineas
riamh chun m'aigne ar gach cúrsa a thaispeáint duit.

EILEANÓR: Ní aigne thaispeánais riamh dom, ach
an chloch istigh ionat a ngoireann tú 'réasún' air—is
í sin chomh cruinn, chomh crua, chomh socair . . . Uch!

MÁNAS: Fear críonna phósais, 'Eileanór; 's ní hannamh
tuairimí chomh cruinn le clocha ag mo leithéid—'s na cúiseanna
is doimhne leo dearmadta, geall leis,
insa chré.

EILEANÓR: Is eol dom san. 'S is maith ab eol dom gur
seanduine bhí á phósadh agam. 'S dob eol dom leis nach féidir
ach an t-aoinne amháin a bheith ina cheann
ar thigh. Agus thoilíos im chroí chun iarracht ghlan a dhéanamh
ar réiteach leat.

MÁNAS: Is an dóigh leat ná gur dheineas-sa iarracht leis?
Is gur phleancas doirse Dé ag éileamh grásta is rath ar an bpósadh
mínádúrtha so; 's gur chuireas suas
le boirbe is le mallaitheacht—óm mhuintir féin, 's ó dhaoine
eile, is uaitse leis—ón uair gur chuas
fén gcuing leat. Is go bhfuilim sásta fós cur suas leis.

EILEANÓR: Ní hionadh san. Níor mhiste leat é bheith
le tuiscint age Grey, na laethe so, ach go háirithe,
go bhfuil tacaí ó dheas agat chomh maith
a bhuailfeadh buille ar do shon in am do ghátair . . .

MÁNAS: Is fíor duit san. Is fíre fós, áfach,
gur mó i bhfad tá Gearaltaigh buaite leis an bpósadh so

ná mise. Is ba chóir mar sin go mbeifeá
sásta.

EILEANÓR: Bhuel nílim. Ba chuma liom ar deireadh cad é
an sórt tú, an fhaid 's a bhraithfinn gur dem chine féin tú. Agus
ní bhraithim san.

Sos

MÁNAS: Cad a dhéanfaidh Gearóid beag?

EILEANÓR: Tá Gearóid i gceart.

MÁNAS: Cad é?

EILEANÓR: Tá Gearóid sábháilte.

MÁNAS: Conas san? Cá bhfuil sé?

EILEANÓR: Tá sé, a déarfainn, leath na slí go dtí
an Fhrainc anois.

MÁNAS: (*idir iontas agus fhearg air*) Tá sé—
  Crossán anuas an staighre go tapaidh is é ag rince roimhe

CROSSÁN: Maidin inné d'imigh an t-éan, ag snámh . . .

MÁNAS: (*mórfhearg air le Crossán den chéad uair*) Éist do bhéal, a amadáin!
  (*go fuarchúiseach*) Abair
san arís led thoil.

EILEANÓR: Tá Gearóid anois, a déarfainn, leath
na slí go Calais ins an bhFrainc. (*Iompaíonn Mánas a dhroim.*) Ar bhád,
  salainn d'imigh
sé inné. Ó Loch Súilí.

MÁNAS: Tuigim tú! A Thiarna Dia, tuigim tú!

EILEANÓR: Ní hé mo thuairim é go dtuigeann.

MÁNAS: (*ag iompú chuici*) Tuigim tú . . . ó tuigim tú . . . a striapach
shalach.

EILEANÓR: (*go teann ach go srianta*) Más striapach mé, is striapach den
  náisiún so
mé.

MÁNAS: Do dhíolais-se tú féinig, t'anam is

do chorp. Do dhíolais go neamhscrupallach tú féin, mar mhagadh
ar an sacraimint, d'fhonn coimirce—
coimirce bheag shealadach duit féin is dod mhac, faid bheadh
na socruithe á ndéanamh daoibh fé thóin.
Is sin é ansan agat do dhóthainse den phósadh.

EILEANÓR: Tá paisiún míchuíosach ort, a fhir mhóir.
Is é deirteá i gcónaí roimis seo gur namhaid an fhearg don chaint
réasúnta.

MÁNAS: Caint réasúnta! Cad is gá aon chaint
réasúnta led leithéidse a thuilleadh!

EILEANÓR: Táim ag déanamh iarrachta ar gan dul
i bhfeirg leat, ón uair nach fiú a thuilleadh tú an fhearg,
ach trua. Má tá aon duine againn á dhíol féin,
is tusa é. Tá an Conchúrach díolta cheana féin agat.
Is nílimse ag brath suí fúm go ciúin
anso go ndíolfaidh tú Tír Chonaill ar fad, agus go gcrochfar
ar do bhráid an slabhra óir. Mar sin
tá Gearóid óg, le cabhair na nGallchobharach, curtha chun
na Fraince agam, is táimse ag triall abhaile.

Sos

MÁNAS: Gabhaim pardún agat. D'éiríos róbhorb
leat . . . Ach creid an méid seo uaim, a Eileanór, ná fuil
aon ní ab fhusa ab fhéidir liomsa dhéanamh
ná an ní ba mhaith leat féin 's do chairde dhéanfainn: troid romham gan
    smaoineamh
'dtí an díthiú déanach. Acht tagann tráth
i ngach coimhlint mar seo insa tsaol nach mór do dhuine éigin
tabhairt fé bheart is contúrthaí i bhfad ná cogadh—
an comhghéilleadh is fearr is féidir thabhairt gan eagla
i gcrích. Éilíonn an t-anam féin ionam,
mo thuiscint dhaonna ar fad, go bhfuil an t-am san buailte linn.

Is ní mór dom freagairt go macánta dó.
Mar sin ná habairse ach oiread gur ag díol mo chine
féin atáim.

CROSSÁN: Sea! Á dhíol atánn tú!

MÁNAS: Tusa!

CROSSÁN: Mise! Do ghlaois amadán orm ... agus is fíor é. Is déanfaidh
mise fáistine duitse anois ... agus is fíor é chomh maith. Díolfaidh tú
do mhuintir is tú féin ... is bainfear radharc na súl díot sa dorchacht
... mar ... mar ... níl leigheas agamsa ar bheith i m'amadán. (*Is
beag ná goileann*)

MÁNAS: (*go híseal corraithe, mar bheadh faoi dhraíocht ag Crossán*) Ní
hamadán a choinníonn talamh dá oidhrí.

CROSSÁN: Is amadán ná coinníonn oidhrí i gcomhair an talaimh.

MÁNAS: Conas a choinneofá na hoidhrí?

CROSSÁN: Iad a ligint chun báis más mian leo. (*ag rince*)
Conas a choinneofá ealaí ag snámh?
Ligint dóibh eitilt más mian leo!
Conas a choinneofá oidhrí id dheáidh?
Iad a ligint chun báis más mian leo!

MÁNAS: Ar buile glan ataoi!

CROSSÁN: Conas eile bheinn? M'athair is mo mháthair ...

MÁNAS: Cad mar gheall orthu?

CROSSÁN: Ádhamh is Éabha! Ní raibh oiread na heasna eatarthu—
bhíodar róghairid i ngaol dá chéíle!

MÁNAS: Éirím asat! ... (*le hEileanór*) Tá sé ceapaithe agat
imeacht mar sin?

EILEANÓR: Imeoidh mé amárach, mé féin agus Crossán.

MÁNAS: Sin é an focal deireanach uait?

EILEANÓR: Is é. (*ag imeacht*)

MÁNAS: ... Tusa scaip an scéal so an Chonchúraigh?

EILEANÓR: Ní déarfainn ar fad gur scaipeas é.

Mánas: Ach ar insis d'aoinne é?

Eileanór: D'inseas—do dhuine nó do bheirt.

Mánas: Nár gheallais gan é scaoileadh thar do bhéal
go gcuirfí an gnó ar fad i gcomhairle an Chonchúraigh féin
ar dtús? Má tá praiseach doleighiste déanta
anois de seo, is ortsa leis a mhilleán.

Eileanór: Ní fhéadaim a rá, le fírinne, go bhfuil
cathú orm.

*Eileanór in airde staighre. Crossán ina diaidh go mall is 'Samhaircíní
fuaireas-sa' á fheadaíl an-mhall aige. Seasann Mánas ag stánadh roimhe.*

Calbhach sa doras mór. Tagann isteach

Calbhach: Chuala glórtha agus níor mhaith liom teacht
isteach.

Mánas: Tar isteach.

Calbhach: Thánag chun a rá go bhfuil cathú orm . . .

Mánas: Tá san i gceart. Tá san i gceart.

Calbhach: Gur mhaslaíos chomh géar mo mháthair—is
tú féin . . .

Mánas: Is máithriúil an mac tú, a bhuachaill. (*Cuireann lámh ar a
ghualainn—is imíonn in airde staighre*)

Brat Anuas

DEIREADH GNÍMH II

GNÍOMH III

RADHARC I

Os cionn bliana ina dhiaidh sin. An Grianán. Maidin i ndeireadh an fhómhair atá ann. Tá dosaen nó mar sin suíochán de gach sórt sa seomra. Caitríona á socrú. Mánas ina sheasamh ag féachaint uirthi. Tá sé imithe in aois go mór. Dealramh na tuirse ar a phearsa agus ar a chaint

MÁNAS: Do chodlaís go maith aréir?

CAITRÍONA: Cad fáth ná déanfainn, 's mé ar ais im sheana-sheomra féin.

MÁNAS: Do shéid an ghaoth go fiain cuid mhór den oíche.

CAITRÍONA: Do shéid; ach tá sí titithe ar fad ó bhreacadh an lae.

MÁNAS: Tá súil agam nár chuir an anaithe aon bhac ar thuras Lord Grey, is Sir John.

CAITRÍONA: Bíodh geall nár chuir. Is maith is eol dóibh san cá bhfaighidh siad dídean.

MÁNAS: Is fíor duit san. (*ag féachaint amach*) 'Bhfacaís na páirceanna cois abhann is iad ar fad fé thuile?

CAITRÍONA: Chonac óm sheomra féin iad: aon loch mór leathan uisce déanta de Thír Chonaill.

Sos

MÁNAS: Ó chianaibh ghluais trí cinn d'ealaí óg' na bliana so, ar eitilt thairis an bhfuinneog anso, iad salach is donn is neamhurchóideach, is mhúchadar

an ghrian orm sa tseomra . . . Bhí tráth is líonfadh
radharc mar sin le gairdeachas an lá.

CAITRÍONA: Trí chéile tánn tú leis an anabhá
is leis an bhfústar so go léir. Ní gach lá a thriallann ionadaí
an Rí anso chun slabhra óir
a bhronnadh.

MÁNAS: Ní fiú seile in abhainn an slabhra óir;
is níl anabhá dá laghad orm. Níl orm ach tuirse. Tuirse . . .
is seanaois.

An Suibhneach isteach

SUIBHNEACH: Móra dhuit, a Mhánais. Níl aoinne tagtha
fós?

MÁNAS: Níl. Is gearr go mbeidh a déarfainn. Ghealladar
go léir go cruinn a bheith anso dhá uair a chloig
roimh lár an lae.

Cuireann Caitríona chun imeachta

MÁNAS: Go raibh maith agat, a stór. Is mór
an chabhair bean tí a bheith sa tigh.

Caitríona amach

SUIBHNEACH: Tá gach ní i gceart?

MÁNAS: Tá. Ach so. Ba mhaith go mbeadh anocht,
i mbolg an halla, scór—nó mar sin—fear ná beadh ar deoch,
agus bheadh réidh ar aoinne ardódh a ghlór
a chaitheamh láithreach insa túr.

SUIBHNEACH: Beidh sé deacair iad choimeád ón deoch.
Ach déanfaidh mé mo dhícheall. Ní hé go mbraitheann tú trioblóid
ag tórmach? Níl 'nár gcoinnibh ach an triúr.

MÁNAS: Tá's agam. Ach d'fhéadfadh triúr ar bith
—gur duine acu an Gallchobharach—círéib a dhéanamh

SUIBHNEACH: Déanfam faire go speisialta ar
Ó Gallchobhair . . . má thagann sé.

MÁNAS: Agus ar Chalbhach . . . má thagann sé.

SUIBHNEACH: Cá raibh sé sin le cúpla oíche anuas?

MÁNAS: Calbhach? . . . Ag Dia atá's. Ag sodar
ar fud na tíre is dócha i ndiaidh na nGallchobharach.

SUIBHNEACH: Cheapas tamall go raibh deireadh aige
leis sin. Ní hé a cheapann tú go ndéanfaidh sé trioblóid arís?

MÁNAS: Le fírinne, ní dóigh liom é. Óganách
neamhthréithiúil gan aon díobháil 's ea Calbhach—nuair bhíonn sé
ar a chéill—ar a shon go mbraithim mianach
beag ann le déanaí nár bhraitheas roimhe seo. An gcloisim
duine éigin tagaithe sa halla?

SUIBHNEACH: Níor chuala faic.

MÁNAS: Samhlú an tseanduine is dócha . . . A Shuibhnigh,
níl ach fear amháin dem chuid tiarnaí ar fad nár dheineas
fiosrú cúramach ar 'aigne
i dtaobh an . . . bheartais nua so.

SUIBHNEACH: Tá's agam cé hé . . . is tá's agam
chomh maith nárbh aon dearmad an tseanduine agat é gan
a dhéanamh.

MÁNAS: Sea . . . níorbh fhéidir duit na blianta san
bheith caite agat i m'fharradh gan gach lúb i m'inchinn
bheith tuigithe go maith agat!

SUIBHNEACH: Bhí a fhios agat go raibh roinnt dabhta ormsa
leis i dtaobh an ghéillte seo—is tá go fóill! Ach shílis
dá dtaispeánfá dom formhór na coda
eile do bheith leat, go raghainnse leat chomh maith leo—mar
ba dhual d'fhear céile t'aon-iníne!

MÁNAS: Ní foláir nó tá an bhlaosc so éirithe
tanaí orm le críne, agus an uile smaoineamh fé
istigh, sofheicseanta. Do léis go cruinn
orm!

Radharc 1   63

SUIBHNEACH: Ní raibh an ceart agat!

MÁNAS: Cad é?

SUIBHNEACH: Ní raibh an ceart agat. Ní leis an tromlach
raghainnse is dabht mar seo orm.

MÁNAS: Cé leis mar sin?

SUIBHNEACH: Le Ó Dónaill. Leis an dlí. Is é
Ó Dónaill ceann na dúthaí seo; is é mo dhualgas pé
socrú a dheineann seisean—mura mbíonn sé
glan ar fad i gcoinnibh an réasúin—a chur i gcrích.

MÁNAS: Piocu bheadh an tromlach leis nó ná beadh?

SUIBHNEACH: Piocu bheadh an tromlach leis nó ná beadh!

MÁNAS: Is dá bhfaighinnse bás . . . is go n-adhnódh Calbhach
an gráscar buile seo arís le Sasanaigh,
cad é dhéanfása?

SUIBHNEACH: Cad eile dhéanfainn, tráth 's gurbh é Ó Dónaill
é, ach troid 'na theannta, guala ar ghualainn. Ní míréasúnta
liomsa, ach an oiread, troid.

Cnag. An tAthair Eoghan isteach

ATHAIR EOGHAN: Dia anso istigh.

MÁNAS: Go mairir, a Athair . . . Theastaigh, a Athair, uaim
go mbeifeá i láthair ag an gcruinniú so, agus go bhfeicfeá
conas tá acu.

ATHAIR EOGHAN: Tá tuairim agam, caithfidh mé a rá,
ar conas tá acu.

MÁNAS: A Shuibhnigh, d'fhéadfá cur díot síos, is iad
a bhailiú chugainn in airde nuair bheidh siad uilig cruinnithe.

An Suibhneach amach

Ní dheineann sé aon bhogadh ar do thuairim
a Athair, formhór na dtaoiseach a bheith daingean liom
sa ghnó so.

ATHAIR EOGHAN: Ní dheineann sé, a Mhánais.

Gníomh III

MÁNAS: Is é toil an fhormhóir é!

ATHAIR EOGHAN: Ní mheánn san brobh liom—toisc go bhfuil a fhios
agam gurbh fhéidir duitse beartas troda chur i gcrích
d'aontoil. D'aontoil!

MÁNAS: Ní shéanaim, a Athair, ná go bhfuil an ceart
agat ansan. Is é bua an bheartais seo agamsa, ámh,
go mbeidh a chead againn go ceann i bhfad
a bheith ár ndaingniú féinig, muscaeidí is ordanás a—

ATHAIR EOGHAN: (go borb beagnach) Níl ansan go léir ach taibhreamh.

MÁNAS: Taibhreamh an ea a deireann tú?

ATHAIR EOGHAN: Taibhreamh.

MÁNAS: Dom shaighdeadh glan chun feirge atánn tú,
a Athair Eoghan, le húdarás do thuairimí; is gan aon chur leo agat.

ATHAIR EOGHAN: Tá cúig chéad bliain de chogadh ag cur lem thuairimí.

MÁNAS: Caithfir cúiseanna níos cruinne a tharrac chugat.

ATHAIR EOGHAN: Is eol dom san. Is deirim leat anois
an méid seo. An té cheannaíonn sos cogaidh le comhréiteach náireach,
beidh sé ina shos cogaidh aige sin
go deo.

MÁNAS: An é a deireann tú ná fuil ar siúl
agam ach scaothaireacht—go dteipfeadh orm an cogadh fhearadh
nuair ba ghá arís?

ATHAIR EOGHAN: Ní deirim scaothaireacht, ach deirim easpa
tuisceana. Throidfeása b'fhéidir. Creidim san. Is follas,
ámh, go bhfuil ann mór-chuid tiarnaí eile,
mion is mór, ná faigheadh de chumas iontu féin tosnú
go tiubh ar throid arís tar éis dóibh éirí
aisti glan. Cad é dhéanfása ansan
gan chabhair i d'aonar?
Cad ab fhéidir duit a dhéanamh? Is cá bhfios
domsa fiú gur tusa bheadh i réim id dhúthaigh féin

nuair thiocfadh am na troda arís?

MÁNAS: Calbhach bheadh ann, má sea.

ATHAIR EOGHAN: Níl sé cothrom a bheith 'ceannach
síochána inniu, 's ag cur na troda ar do mhac amárach.

MÁNAS: Ní mór don uile dhuine againn, a Athair,
tabhairt fén ní tá ceart a dhéanamh ina lá 's 'na dhúthaigh
féinig. Féachfaidh Dia i ndiaidh an lae
amárach . . . Níor chuimhnís ó shin ar cheist seo an easpaig?

ATHAIR EOGHAN: Do chuimhníos. Ní fheicim fós, áfach,
go mbeadh aon ghlacadh choích' le bráthair bocht gan ghradam.

MÁNAS: Tá sé ráite agam leat roimhe seo
go mbeadh. Tá ainm cráifeachta ort, is sásóidh san an Róimh.
Tá fuath an tSasanaigh ionat: sásaíonn san
mise.

ATHAIR EOGHAN: (ag miongháirí) Sásaíonn—chomh fada is go ngéillfinn
    duit,
nuair bheinn i m'easpag, na tailte a bheadh
fém chúram—

MÁNAS:—Sa tslí ná féadfadh Grey a ngabháil.
Is gheofá cúiteamh cóir sásúil.

ATHAIR EOGHAN: Is admhaím . . . gur cheart . . . gur socrú
réasúnta cothrom é sin.

MÁNAS: (le flosc) Taoi sásta freagra a thabhairt dom láithreach,
mar sin?

ATHAIR EOGHAN: Is amhlaidh fós ná tuigim go mbodhródh
an Róimh í féin le saighdiúir singil dem leithéidse.

MÁNAS: (go docht) Ní mór don Róimh bheith sásta feasta le
haon duine fónta mholaimse.

ATHAIR EOGHAN: Bhagrófá b'fhéidir . . .

            Croitheann Mánas a ghuaillí

Bhagrófá nárbh aon deacracht é na laethe

seo . . . easpag d'fháil ná hiarrfadh páirt bheith leis an Róimh
aige?

MÁNAS: Ní deirim so ná súd.

Sos

ATHAIR EOGHAN: Ní cheilim ná gur dóigh liom go macánta
go bhfuil breis mhór thar a cheart ag an seaneaspag insa
deoise so; 's gurbh fhearrde an Eaglais
é ná beadh san amhlaidh. Is dá mba mise an t-easpag bheinn
lánsásta ar fhormhór an talaimh
sin a ghéilleadh ar ais arís don Dónallach—i gcás
go mbainfí earraíocht chóir as, is go gcuirfí
é i dtreo a chosanta. Bheadh acht amháin agam sa scéal . . .

MÁNAS: Cad é an t-acht é sin?

ATHAIR EOGHAN: (*go teann*) Ná cuimhneodh an Dónallach ar é
a ghéilleadh ar ais arís don eiriceach is rí ar Shasana.

MÁNAS: Ó sin é agat arís é. T'aigne
ag sodar, mar bheadh seanachapall stágach, ar an mbóthar
céanna abhaile i gcónaí.

ATHAIR EOGHAN: An bóthar díreach . . . (*go neamhbhalbh*) Pé scéal é ná
   buair
do cheann a thuilleadh im thaobhsa. Is féidir liom a insint glan
amach anois ná beadsa choíche i m'easpag.

MÁNAS: Ní bheir choíche i d'easpag?

ATHAIR EOGHAN: Ní ghlacfainn ar a bhfuil de thalamh méith
in Éirinn uile leis—mura gceangalófaí orm
é in ainneoin mo thola. Bheith singil, siúltach
bheith ar easpa gradaim, sin é is saoirse ag eaglaiseach
inniu. Santaím an tsaoirse sin go bás.

MÁNAS: (*fearg ag teacht air*) Ná féadfá an méid sin a bheith ráite liom
agat fadó!

ATHAIR EOGHAN: (*go simplí*) Is é theastaigh uaim ná t'aigne a thuiscint síos go bun—agus le dua is ea éirigh san liom.

MÁNAS: (*ag iarraidh brú faoi—ach ní ar fad a éiríonn leis*)
Ní den mhacántacht é bheith ag tarrac eolais
asam, a Athair, ná baineann leat. Sibhse eaglaisigh,
ní mór ná gur mar a chéile sibh ar fad.

ATHAIR EOGHAN: Sa tsaol so, a Mhánais, a mhairimidne leis.

An Suibhneach agus ochtar eile isteach

CONCHÚRACH: (*stad ina chaint*) Is c . . cuma é seo nó p . . pósadh eile, a
Dhónallaigh!

MÁNAS: Níl uainn ach na cláirseoirí, a Chonchúraigh.

CONCHÚRACH: B . . beidh c . . ceol ár ndóthain a . . againn ar b . . ball,
a déarfainn.

MÁNAS: Suígh, a fheara, Caithfidh sibh é mhaitheamh dom
go bhfuilimid chomh pulcaithe sa tseomra so. Níor theastaigh
uaim an Halla Mór a chur trí chéile,
tar éis a bhfuair na gearrchailí dá dhua.

TAOISEACH: Ná bac san.

TAOISEACH EILE: Ní compord is nós linn.

MÁNAS: Aon tuairisc agatsa, a Bhaoilligh, ar
an nGallchobharach?

BAOILLEACH: Dúirt go dtiocfadh.

MÁNAS: Ní miste dul ar aghaidh ina éagmais tamall.
Tá an mhaidin nach mór caite.

TAOISEACH: Ar aghaidh má sea.

TAOISEACH EILE: Cuiream dínn é.

MÁNAS: Anocht, fé mar is eol daoibh, bronnfaidh ionadaí
an Rí an slabhra óir ormsa, Ó Dónaill. Anois,
is beag ormsa an gradam so; is tá 's
agam gur beag oraibhse é leis. Is ní cheilim ná gur shíleas
tamall mór nár ghá in aon chor dúinn
an t-umhlú deireanach so: go bhféadfaimisne cluiche beag

GUNNA CAM AGUS SLABHRA ÓIR

dár ndéantús féin a imirt leosan. Cuireadh
deireadh borb leis an gcluiche sin i Sligeach. Is anois
ní mór an cúlú so a dhéanamh atá
beartaithe, a deirtear liom, ag formhór na dtaoiseach
theas chomh maith. Is chruinníos le chéile anso
ar maidin sibh go gcuirfeadh sibh go foirmeálta bhur séala
leis an ngnó.

BAOILLEACH: Cad déarfá mura gcuirimis?

MÁNAS: Tá's agam ná cuirfirse, a Bhaoilligh.
Ach tá's agam chomh maith gurb é an socrú so is toil
le formhór mo chuid tiarnaí. Murach
é sin, ní bheifí imithe chun cinn le gnó an bhronnta
anocht.

MAC AN BHAIRD: Ach dá dtitfeadh sé amach le haon
mhísheans ná beimis sásta? . . .

MÁNAS: Do chuirfinn suas, más déanach féin é, den slabhra
óir.

CONCHÚRACH: C . . Cad mar gheall a . . ar an g . . gcéad g . . giní a
      ghabhann
leis. D . . deir mo bh . . bhean gurb é an t . . airgead
'tá uait.

Gáire

MAC AN BHAIRD: An méid seo bheith soiléir agam, a Mhánais?

MÁNAS: Cad é anois, a Mhic an Bhaird?

MAC AN BHAIRD: An túisce chuireann tusa ort an slabhra
óir, is leis an Rí Tír Chonaill?

MÁNAS: Is leis de réir dhlí Shasana; ach le fírinne
is leatsa, is liomsa i gcónaí í. Sinne a riarfaidh
dó an dúthaigh.

MAC AN BHAIRD: Sea, ach ná beidh cead ag Grey, mar sin,
pé cíos is maith leis éileamh orainn?

Radharc 1

69

MÁNAS: Ní bheidh, ach an cíos 'tá leagtha síos dó—fiche
bó an duine againn in aghaidh na ráithe.

MAC AN BHAIRD: Ach an ndeirir liom go mbeidh a bhac
airsean a dhlí beag féin a chur ar ceal, is céad—nó míle
bó—a éileamh orainne más maith leis
é!

MÁNAS: Níl baol dá laghad, a Mhic an Bhaird, go raghaidh sé
thar an dlí san éileamh. Is maith a thuigeann sé, má éilíonn
sé aon ní míchuíosach, nó má dheineann
sé aon chreach, ná faighidh sé bó—ná an tseithe féin—go deo
arís uainn.

BAOILLEACH: Creachfaidh sé gan sos sinn nuair a chífear
dó ná fuil aon mhórfhonn troda ar roinnt againn a thuilleadh.
Ná feiceann tú cad d'imigh ar Ó Conchúir
bocht anuraidh nuair thoilíomar ar deireadh triail bhaint as
an bplean brealsúnta san agat? Ní bheadh crúb
a d'iompródh seithe fágtha ar féar aige inniu mur—

CONCHÚRACH: M . . murach go n . . ndúirt m . . mo bhean g . . g . . gur . . .

BAOILLEACH: (ag cabhrú leis)
Murach go ndúirt a bhean gur mhithid scéala
do chur chugamsa is chun an Ghallchobharaigh chun fios a mbéas
a mhúineadh do dhailtíní Ghrey, nuair líonadar
gan chuireadh chuige isteach thar teorainn, 's gur ardaíodar
leo an uile ní ar cheithre chos a
chonaiceadar.

MÁNAS: Is fíor gur buaileadh bob orainn i Sligeach.
Ní rabhamar amhrastúil ár ndóthain orthu. Ach beimid feasta.

> *Cnag ar an doras. An Gallchobharach agus Calbhach isteach. Balcaire de*
> *rógaire an Gallchobharach, a bhfuil gruaig chas dhubh air, is na súile ag*
> *preabarnach ina cheann*

GALLCHOBHARACH: Dia dhuit, a Dhónallaigh.

MÁNAS: Taoi deireanach, a Ghallchobharaigh. Bhí plé
ar bun.

GALLCHOBHARACH: Níl aon ghá agamsa le haon phlé.

MÁNAS: Ná suífeá?

GALLCHOBHARACH: Ní shuífead, go raibh maith agat. (*Suíonn Calbhach
ar leataobh.*) Ba mhaith
ab eol dom riamh, a Dhónallaigh, go ndéanfása cúlú
ar deireadh; ach dá laghad mo mheas ort, níor
shíleas go dteithfeá rompu siar isteach i ngrianán ban
do thí.

MÁNAS: Níor chóir anois go mbraithfeása, a Ghallchobharaigh,
míchompord dá laghad ort féin i ngrianán ban
ar bith.

GALLCHOBHARACH: (*gáireann*) Is fíor! Is fíor ar mh'anam! Admhaím
gur ... deacair dos na mná bheith fuar támáilte im láthair!

CONCHÚRACH: Nár ch .. chuir m .. mo bheansa féin f .. fios air
anuraidh! (*é an-sásta lena chuid féin grinn*)

MÁNAS: Sea, ós rud go bhfuilir tagaithe,
is nach fonn leat plé a dhéanamh ar an scéal, cuirfead láithreach
chugaibh an cheist. An bhfuil sibh sásta nó
míshásta le comhréiteach so bhur dtaoisigh le Rí Shasana?
Míshásta? Tusa, a Ghallchobharaigh;
An Baoilleach; an Conchúrach. Triúr. Mar sin tá an t-ochtar eile
againn sásta, is an cúrsa soc—

BEIRNEACH: Fóill, fóill, a Dhónallaigh!

MÁNAS: Tusa, a Bheirnigh!

BEIRNEACH: B'é ná fuil míshásta ach an triúr.
Ní fhágann san, áfach, go bhfuil an seachtar eile againne
sásta fós ... ar fad.

MAC AN BHAIRD: Is fíor don Bheirneach. Cead cainte anois don Athair
Eoghan.

BEIRNEACH: Sea. Ach roimis sin ba mhaith liom féin
a rá ná tuigim fós i gceart cad chuige is gá don Dónallach
an dithneas ar fad chun géillte.

MÁNAS: Cad is gá don Dónallach an dithneas!
Cad is gá mórsheisear taoiseach cine ó dheas
bheith socair ar an gcúrsa céanna?

BEIRNEACH: Sea ach nílimidne mionaithe
ná ídithe mar tá siad san. Níor brúdh orainne fós.

MÁNAS: Má tá an conradh so le ceangal, ní ceart
fanúint go mbeimid lag ná snoite amach. Anois an t-am,
nuair táimid láidir.

Sos

BAOILLEACH: Bhuel, a Athair!

TAOISEACH: An tAthair Eoghan!

MÁNAS: Sea, a Athair?

ATHAIR EOGHAN: Táim buíoch ó chroí daoibh uile, is duitse, a Mhánais.
Ach leis an bhfírinne a insint níl an-fhonn orm
bheith sáite ins an áiteamh so a thuilleadh.
Tá tuirse orm—is duifean croí. Tá tuirse orm ó bheith
ag síor-rá leatsa, a Mhánais, is libh go léir,
má dhíolair cíos go toilteanach inniu d'fhonn cogadh sheachaint,
go ndíolfair cíos amárach leis; is dhá oiread
san amanathar. Is caolóidh leis i dteannta an chíosa
san, gach gradam fir agaibh, sa tslí
nuair thiocfaidh oraibh an lá, is go bhfógróidh an trumpa ins
gach féith ócáid na troda a bheith buailte
libh go follas insa deireadh, go gcumfaidh sibh leithscéal
daoibh féin—is fanfaidh sibh go cúramach
le hais na luaithe age baile.

MAC RUAIRÍ: Ach nach amhlaidh, a Athair Eoghan, go dtabharfaidh
an sos aimsire caoi mhaith dúinn chun sinn féin neartú?

ATHAIR EOGHAN: Ní fíor é sin 'Mhic Ruairí. In am na troda
a bhailíonn ár leithéidíne gunnaí, is ní in aimsir
na síochána . . . Dúrt libh ó chianaibh go raibh
duifean croí orm. Is neosfad daoibh anois, níos cruinne,
cad 'na thaobh: scéala tháinig chugam
ó Shasana dhá lá ó shin go bhfuair cara dílis bás—
é féin is seisear eile. Bráithre iad
ar fad . . . a ndúnmharú is ea deineadh. Is an t-eiriceach go bhfuileann
sibhse socair ar bhur gcuid thabhairt dó,
is é a dhein a ndúnmharú.

GALLCHOBHARACH: Is fuair sé stráice breá, bíodh geall, de thaltaí
méithe eaglasta dá bharr!

ATHAIR EOGHAN: Fuair . . . is gheobhaidh a thuilleadh fós . . . Tá súd
imithe anois, an Bráthair Aidrian bocht, is ní iarrann sé
aon chaoineadh uaimse. Ná ní hé a chuireann
an dólás orm. Ach so: a chuimhneamh an méid dínne
fós sna dúthaí seo gur romhainn atá.

MÁNAS: Ní leagfar méar ar shagart ná ar bhráthair
i dTír Chonaill!

ATHAIR EOGHAN: Leagfar cuma cad é an socrú
a dhéanfaimidne anso.

MÁNAS: Nach cuma cad é an socrú a dhéanfar
mar sin?

ATHAIR EOGHAN: Ní cuma. Tá mórán bealach 'nar féidir
bás a fháil; is níl pioc dá fhonn ormsa, ná ar mhórán
dem shórt, go ndéanfaí sinn a tharrac le
glasfhuaire maidne geimhridh, as scailp chlaí i measc na gcnoc,
is go mbainfí an ceann anuas dínn go fuarchúiseach—
faid bheadh Dónallaigh Thír Chonaill i dtoirchim na síochána.
Glóire an mhairtírigh, nílimidne
oiriúnach uirthi; ní chuige sin a ceapadh sinn. Is má gheibhimse

bás an-obann, ní miste liom seanchlaíomh
bheith beartaithe agam im láimh, is Dónallaigh, is Suibhnigh,
agus Gallchobharaigh, ag tabhairt na fola in éineacht liom.

MÁNAS: Is é tá ag déanamh buartha duitse, a Athair,
ná go ndéanfaidh an beartas so díobháil na hEaglaise?

ATHAIR EOGHAN: Go ndéanfaidh sé díobháil na tíre, is
dhá dheascaibh san, díobháil na hEaglaise.

MÁNAS: Tá's agat go maith ná ceadóinn íde
mar sin á imirt ar an Eaglais.

GALLCHOBHARACH: Éitheach! Deargéitheach!

ATHAIR EOGHAN: Bog réidh, a Ghallchobharaigh!

GALLCHOBHARACH: Fan neomat, a Athair Eoghan. Ní haon fhíréan
mé féin ar fad ar fad. Ach béalchráifeacht ghlic den sórt so, is é
is mó do chuir—i gcead duit—fonn urlacain
ormsa i gcónaí riamh!

SUIBHNEACH: Cad so, a Ghallchobharaigh? Béalchráifeacht! Éitheach!

GALLCHOBHARACH: Béalchráifeacht agus éitheach. Mánas Mór
anso againn 'na thaca dílis ag an Eaglais!
Ar chuala sibh, mar shampla, an plean
is deireanaí aige mar mhaithe leis an gcreideamh i
Ráth Bhoth?

Sos

MAC SUIBHNE FÁNAD: Lean ort!

BEIRNEACH: Lean ort!

GALLCHOBHARACH: Ón uair a bhfuil an seana-Easpag righin
á admháil go bhfuil sé thar an am aige é féin
a shíneadh ar chlár, tá Mánas tar éis tairiscint
a thabhairt do bheirt chanónach urramach dár n-aithne—
i gan fhios, ar ndóigh, dá chéile. Is í tairiscint
í sin: go ndéanfaí easpag díobh sa deoise so,
in am 's i dtráth. D'fhágfadh san, ba dhóigh leat,

easpag bocht amháin is deacracht áirithe ag baint
le bachall a sholáthar dó! Ní hé
sin féin, áfach, an pointe is suimiúla insa scéal . . .
ach so. Coinníoll a bhí i gceist . . .

BEIRNEACH: Sea, abair leat. Cad é an coinníoll?

GALLCHOBHARACH: An t-easpag nua—ní heol dom ciocu duine
acu!—go ngéillfeadh sé don Dónallach na tailte eaglasta
ar fad. Na tailte eaglasta
ar fad!

MAC SUIBHNE FÁNAD: An fíor é seo, a Dhónallaigh?

GALLCHOBHARACH: Is fíor gan amhras, a Mhic Shuibhne Fánad.
Is é is mian le Mánas Mór Ó Dónaill gur mhó le rá
é féin ná aon taoiseach eile in Éirinn—'s ná
an Niallach ach go háirithe. Is is cuma leis aon Easpag
ná aon taoiseach, ná an Pápa féin,
'na chúrsa buile.

MAC SUIBHNE FÁNAD: An fíor é seo, a Dhónallaigh?

SUIBHNEACH: Ní fíor é, a Mhic Shuibhne Fánad! Ná fuil
a fhios agat nách fíor aon ní a deir an Gallchobharach.

GALLCHOBHARACH
BAOILLEACH
CONCHÚRACH } An fíor é? An fíor é?
BEIRNEACH

TAOISEACH: Is cuma daoibhse an fíor é nó nach fíor!

BEIRNEACH: Ní cuma. Nach shin é an gnó atá ar siúl
ag Anraí Shasana!

CONCHÚRACH: E . . Eir . . .

GALLCHOBHARACH: Eiriceach!

TAOISEACH: Éist do bhéal! Más eiriceach é, is fadó
nár n-eiricigh an uile dhuine againn!

Radharc I

MAC SUIBHNE FÁNAD: Ná freagrófá sinn, a Dhónallaigh? An fíor
é seo?

MÁNAS (*go mall tomhaiste*) Níl ar aigne agam an scéal so phlé
anso in aon chor.

MAC SUIBHNE FÁNAD: Diúltaír aon ní a rá ina thaobh?

MÁNAS: Is maith is eol dóibh siúd atá ag caint
anso ná déanfainnse go deo aon bheart bheadh eiriciúil.

*Féachann ar an Athair Eoghan, le súil go labhróidh sé. Ní deir seisean
faic*

Lasmuigh de sin, níl fúm aon ní a rá.

MAC SUIBHNE FÁNAD: Easpa macántachta é sin.

MÁNAS: Ní hea—ach croí na céille.

MAC SUIBHNE FÁNAD: Mura bhfaigheadsa freagra air seo, caithfidh mé
an scéal ar fad iniúchadh ó bhonn arís.

MÁNAS: 'Mhic Shuibhne Fánad ní leat a bhaineann so;
ná . . . níl a fhios agam go mbaineann sé le haoinne eile
anso . . . anois.

Féachann ar an Athair Eoghan arís. Cromann seisean a cheann

MAC SUIBHNE FÁNAD: Ach—

GALLCHOBHARACH: Ná bac é, a Mhic Shuibhne Fánad. Tá Dónallach
'nár measc go fóill nár scorn leis troid ar son a thíre
is a chreidimh. (*é ag síneadh méire i dtreo Chalbhaigh*)

ATHAIR EOGHAN: Srian ort féin, a Ghallchobharaigh!

TAOISIGH: Éirigh, a Chalbhaigh! Éirigh! (*Iad ar fad éirithe*)

CALBHACH: (*ag éirí go ciúin dínitiúil*) Más Dónallach tá uaibh a throidfidh,
is mise
san.

MÁNAS: Suigh síos. Suigh síos a deirim (*le húdarás*). Pé socrú
a dhéanfar, déanfar go réasúnta é—má chaithimid
leanúint den áiteamh so go hoíche.

GALLCHOBHARACH: Tá ár ndóthain áitimh déanta againn. Aon fhear nach eol dó anois a aigne, is brealsún ón mbroinn é.

TAOISIGH: Sea! Cuir deireadh leis! Cuir ar ghuthaibh é!

MÁNAS: Tánn sibh sásta?

TAOISIGH: Táimid! Táimid! Seo leat!

MÁNAS: Maith go leor mar sin. Ach cuimhníodh gach fear
agaibh go cruinn anois, an guth a thabharfar láithreach, gur guth é
shocróidh an suaimhneas atá romhainn
sa taobh so feasta, nó cogadh tubaisteach dofhulangtha,
a scriosfaidh sinn d'uachtar na talún . . .
Mar sin, an bhfuil sibh sásta nó míshásta le comhréiteach
so bhur dtaoisigh le hAnraí Shasana?
Iad súd 'tá sásta tagaidís anso; iad súd ná fuil,
seasaidís le taobh an Ghallchobharaigh.

*Téann an Conchúrach, an Baoilleach agus an Beirneach ar chliathán an
Ghallchobharaigh. Téann ceathrar ar chliathán Mhánais. Tá Mac Suibhne
Fánad is Mac an Bhaird ina suí fós*

MÁNAS: A Mhic Shuibhne Fánad?

MAC SUIBHNE FÁNAD: (*Seasann agus labhraíonn go mall*) Nílim socair fós
   i m'aigne,
a Dhónallaigh. Ach déarfainn ná beinn sásta im choinsias
anois dá dtabharfainn duit mo ghuth. (*Téann go taobh an
Ghallchobharaigh*)

MÁNAS: A Mhic an Bhaird?

MAC AN BHAIRD: Is deacair liom tú fhreagairt . . .

SUIBHNEACH: Caithfir freagra éigin thabhairt.

MAC AN BHAIRD: (*Seasann*) . . . Ní shamhlaím gur mhaith lem mhuintirse
   é
dá dtuigfidís . . . gur mise a thug an guth a tharraing orthu
an cogadh so atá á bhagairt orainn. Raghadsa
leat.

MÁNAS: (*á n-áireamh*) An Gallchobharach, an Conchúrach, an Beirneach,

an Baoilleach, is Mac Suibhne Fánad; cúigear atá agaibhse.
Seisear dínne anso . . . Bronnfar ar
an Dónallach an slabhra óir anocht.

> *Iompaíonn an tAthair Eoghan ar leataobh faoi dhíomá. Cuireann
> Calbhach a cheann ar a dhá bhois*

Brat Anuas

RADHARC II

Níos déanaí, áit éigin sa chaisleán. Dorchacht

ATHAIR EOGHAN: (*ag guí*) Sin é, a Thiarna. Sin é é. In ainneoin ár
ndíchill. Is an ní atá fágtha againn anois le déanamh, ba mhaith linn,
ba mhaith liomsa, é scaoileadh tharainn . . . Ba dhéirc le m'anam é.
Mar tá eagla orm, tá scanradh orm a chrapann mo mheanma. Óir níl
fágtha againn anois dó ach an túr—is níl sé oiriúnach air. Níl sé
oiriúnach air. Sinne, cuid bheag againn, nach fiú sinn suí chun boird
ina theannta, bheartaíomar gurbh shin é anois is deireadh dó. Agus is é.
Tá sé socair. Abair gurb é is deireadh Agatsa dó chomh maith. Abair,
abair. Mar is é sin a chuireann an scanradh orm, is é sin a chrapann mo
mheanma. Ghlacamar chugainn féin údarás an ghnímh dhanartha atá
romhainn. Ghlacamar chugainn féin an t-údarás mar a ghlacfadh mac
a thalamh oidhreachta. Ach cá bhfuaireamar an t-údarás? Cá
bhfuaireas-sa? Cá bhfaigheann ár leithéidí choíche? Abair gur ionatsa.
Abair, a Thiarna. Abair. Is impím Ort anois féin a chomharthú dúinn,
más é do thoil é fós go raghadh sé saor. Is cuir mise más maith leat
ina ionad. Sea, cuir mise. Cuir ormsa an mhairtíreacht . . . Ach fós

ná cuir. Ba shásamh rómhór liomsa san. Is mairtíreacht í go mbainfinn
sásamh aisti: mairtíreacht an mhachnaimh insa dorchacht. Is, ar
ndóigh, ní mairtíreacht cheart más sásamh. (An é eagla an tsásaimh
insan íobairt a bhí Ortsa féin, a Thiarna, nuair iarrais ar d'Athair an
chailís a ligint thart, dá mb'áil leis san? . . .)

Ach níl aon tsásamh insa mhairtíreacht so don Dónallach. Is bás dó
súd é, mar ní thuigeann sé an dorchacht . . . ná nithe dorcha. Ná ní
dóigh liom go bhfuil sé sásta tosnú anois ar iad a thuiscint. Dar liomsa
. . . dar liomsa, a Thiarna.

Ach fós is cuimhin liom féinig is mé suite ag an bhfuinneog agam,
oícheanta i ndeireadh an fhómhair, conas mar d'osclófaí m'aigne dom
gan iarraidh . . . Le titim oíche, abair, tar éis tréimhse teasa, is an spéir
ar deireadh ag dúnadh isteach go trom is ag tórmach fearthainne, is
ag brú anuas go dorcha ar an aigne ghéilliúnach . . . Ansan is ea a
shoiléiríonn gach ní é féin: an geata beag dearg iarainn ar bharr na
páirce treafa, na trí cinn de bhotháin aolnite thíos sa log. Is deargaíonn
na taipéisí dearga ar an bhfalla istigh, is glasaíonn duilleog ghlas na
giúise an fhuinneog isteach; is soiléiríonn ar deireadh an aigne í féin
gan iarraidh. Is réitítear fadhb duit ná rabhais i mbun a réitithe.

Agus is minic a shamhlaíos gur mar sin leis a shoiléiríonn gach ní é
féin don aigne sa chlapsholas deiridh is í buailte leis an mbás. Tabhair,
led thrócaire, gur mar sin a shoiléireofar don Dónallach is é ag
foighneamh ina aonar . . . lena . . . bhás . . . thuas ansan . . . is go
maithfidh sé dúinne ár ndánaíocht . . . Is é sin mura mian leatsa, a
Thiarna, an chailís seo a ligint thairis fós. Mura mian leat . . . a Thiarna.
Is iarraim ort, ar deireadh, aon ghníomh a dheineas—nó nár dheineas—
aon fhocal a dúrt—nó ná dúrt—sa chúrsa so ar fad, is nárbh ón gcroí
macánta é, a mhaitheamh dom led thrócaire.

Brat Anuas

RADHARC III

An Halla Mór, oíche an lae chéanna. Tá an tabhairt amach ar siúl;
gach ní an-fheistithe, taipéisí ar na ballaí, luachair ar an urlár, coinnleoirí
airgid ar an mbord, etc.; soilse i ngach aon bhall. Tá cathaoir ard ornáideach
chun tosaigh ar dheis. Tá an slua druidte siar ón mbord agus iad ag ól; ar
an taobh thall, ina leathfháinne, an Suibhneach, Mánas, Sir John,
Caitríona, Seanán, an Gallchobharach, an tAthair Eoghan; abhus, an
Conchúrach agus Calbhach. Beirt shaighdiúir Ghallda ar chúl Sir John.
Cailíní freastail ag roinnt na ndeochanna, cláirseoir ag seinm. Gleo i
mbun an halla ag an slua (ná feictear). Tá an gunna cam ar crochadh

SIR JOHN: Tugaim fé . . . ndeara a Mhánais . . . ná fuil aon bhlátha
ar an mbord . . . agat anocht.

MÁNAS: Níl, níl. Níor éirigh liom iad d'fháil. (*Tagann tost air*)

SIR JOHN: Is trua . . . ná raibh fhios . . . san againn, 'Sheanáin.
D'fhéadfaimisne roinnt a bhreith linn.

SEANÁN: (*Gaeilge bhlasta aige ach í ró-aiceanta, mar bheadh*
Béarla galánta) D'fhéadfaimis go deimhin, gan aon trioblóid.

SIR JOHN: (*feiceann ná fuil fonn cainte ar Mhánas*) Has my Gaelic improved
any, dear Caitríona?

CAITRÍONA: Ó, is dóigh liom é, Sir John.

GALLCHOBHARACH: Tá sí—imithe as aithne anois
agat. As aithne ar fad!

Gáireann Seanán go híseal

SIR JOHN: (*Ligeann air ná fuil aon amhras air i dtaobh a ndúirt an*
Gallchobharach) Ó, go maith, a bhuíochas le Seanán. My . . . fear
teangan.

CAITRÍONA: Cá bhfuairis-se an Ghaeilge, a Sheanáin?

SEANÁN: Is í a chuala riamh as m'óige.

CAITRÍONA: Ó! is Éireannach tú mar sin?

SEANÁN: Ó sea is Éireannach mé.

ATHAIR EOGHAN: (*go béasach*) Do chaithis seal in Oxford, ní foláir.

Sméideann Seanán a cheann

CAITRÍONA: Is trua nár éirigh le Lord Grey a bheith
anso anocht.

SEANÁN: Bheadh leis murach an bheirt againne. Bhí sceon
ár gcroí orainn, tar éis na báistí sin inné, go raghadh
an slaghdán maraitheach san greamaithe
ina chliabh. 'S d'áitíomar air ar maidin an leaba thabhairt air féin
feadh cúpla lá.

GALLCHOBHARACH: B'fhéidir gur measa é ná mar a shíleann
aoinne agaibhse . . .

SIR JOHN: Hu? . . .

GALLCHOBHARACH: Tá galar ríchoitianta ann na laethe
seo a leánn na fir is láidre—a chuireann masmas goile
orthu, is c . . c . . cnagarnach 'na gcnámha (*aithris á dhéanamh aige ar an
gConchúrach*).

SEANÁN: Ní dealraitheach, a dhuine chóir, gurb eagla
atá ar Lord Grey. Ar aon chuma níor ghá dó eagla
is coimirce an ridire
anso aige. (*Féachann ar Mhánas*)

GALLCHOBHARACH: Ní fheicimse aon ridire anso.
Ach más mise é (*Tarraingíonn scian bheag mar mhagadh*) ní heol dom cad
is coimirce
a thabhairt do Shasanach.

Gluaiseann cúpla fear laistiar den Ghallchobharach

CONCHÚRACH: T . . tá b . . beirt fhear ar do ch . . chúl, a
Ghallchobharaigh.

GALLCHOBHARACH: (*Ní bhacann le féachaint siar*) Más fíor duit san, a
chara, is é céad ní riamh é
thugais-se fé ndeara gan do bhean á rá leat!

SIR JOHN: Fear dainséarach so, a Mhánais.

MÁNAS: (*mar a bheadh ag múscailt*) Ní baol duit é, Sir John. Ní measa a scian

ná a theanga. Beidh geocaigh insa tigh seo go dtí an deireadh, ní foláir, ainneoin mo dhíchill.

ATHAIR EOGHAN: (*go tirim*) Éirigh as an sceanairt, a Ghallchobharaigh.

GALLCHOBHARACH: Mar chomaoin ort féin, is ortsa amháin, is ea dheinim, a Athair Eoghan. Is mór m'umhlaíocht don Eaglais.

Cuireann an scian ína chrios. Tá Sir John agus Seanán ag cogarnaíl

SEANÁN: D'iarr Lord Grey orainn a chur 'na luí

go daingean ort, a Mhánais, ná féadfaí aon . . . bhriseadh dlí a fhulang tar éis an bhronnta anocht.

MÁNAS: Murach fochreach gan aird a dhein an Niallach,

tá síocháin, is dlí, sa dúthaigh seo le fada anois.

Abair le Lord Grey, led thoil go leanfaidh

san.

SEANÁN: (*go tapaidh*) Sea ach cad deireann tú le creach so Dhroichead Átha?

MÁNAS: Cad é? Cén chreach?

SEANÁN: An é ná fuil a fhios agat?

SIR JOHN: (*ag deimhniú*) Níl a fhios aige. Is fear dá fhocal Mánas.

SEANÁN: Níor chualaís gur creachadh campa armtha

dár gcuidne láimh le Droichead Átha dhá oíche ó shin— is gur gearradh mórchuid scornach?

MÁNAS: Níor chuala, a deirim leat. Is fada óm dhúthaigh

Droichead Átha.

SEANÁN: Bhí tuairim ag Lord Grey gur aduaidh a ghluais

na creachadóirí.

MÁNAS: An bhfacathas na capaill?

SEANÁN: Iad súd a chonaic, ní fheicfidh siad a thuilleadh.

SUIBHNEACH: Gearradh na scornaigh, mar seo (*comharthaíonn*) ages na
     feara
bhí 'na gcodladh féin?

SEANÁN: Roinnt éigin acu . . .

MÁNAS: B'é an Niallach é—sin é a ghnáthmhodh oibre.
Níl aoinne eile insa tír a raghadh sa bhfiontar.

SEANÁN: Sin é a dúirt Lord Grey chomh maith . . . ach ní fhéadfadh
sé bheith cinnte.

GALLCHOBHARACH: Agus fuair sé . . . hm . . . slaghdán, ar eagla
na heagla!

SIR JOHN: Bhuel, tá dhá chéad muscaed ag Ó Néill anois . . .

MÁNAS: Dhá chéad muscaed!

SEANÁN: Dhá chéad muscaed den chineál is nua—
is grán dá réir.

MÁNAS: (*leis féin, nach mór*) Bhí tráth is dá mbeadh leath an méid sin féin
de ghunnaí cearta agamsa . . .

SIR JOHN: (*go híseal le húdarás*) Enough, enough, O'Donnell.

SEANÁN: (*go dearfa*) Is deir Lord Grey go gcaithfirse dheimhniú
ná raghaidh tú féin ná aoinne bhaineann leat ag creachadh an airm
feasta.

MÁNAS: Tá údarás ag fás 'n bhur nglór.

GALLCHOBHARACH: Táir sa líon go sámh acu anois,
a Dhónallaigh.

MÁNAS: Níl a n-iarrann sibh ach . . . ciallmhar. Tá
ina mhargadh.

                              Sos

SEANÁN: Ná beadh chomh maith againn, Sir John, gnó
an bhronnta a chur dínn anois.

SIR JOHN: Bhuel, a Mhánais?

MÁNAS: Is mithid é go deimhin.

SIR JOHN: Tánn tú ullamh?

MÁNAS: Táim ullamh.

Éiríonn Sir John agus suíonn sa chathaoir mhór. Seasann Seanán lena ais.
Mánas agus a cheann ardaithe

SEANÁN: Gluais i leith, a Dhónallaigh, led thoil,
i láthair ionadaí an Rí.

Tagann Mánas i leith

SIR JOHN: (*léann as cáipéis*) Ego, Sir John Fitzwilliam, res ago quod
procurator sum Henrici Augusti Octavi Regis clarissimi Britannorum
Hibernorumque, nunc cum Donnellius, princeps honoratus populi
sui, cessurus est illi regi. Fidem etiam rex per me sollemnem dat et se
et posteros suos Donnelli regiones semper pro fide sua custodituros
esse. Adestne qui contra haec aliquid dicere vult? Si adest, causam
dicat.

CONCHÚRACH: C . . Cad é seo?

GALLCHOBHARACH: Léigh as Gaeilge é—a ghiolla! (*le drochmheas*) An
Laidin
a tugadh daoibh in Oxford, ní thuigeann an Conchúrach í.
Laidin na Mór-roinne a labhair sé seo
i gcónaí riamh!

TAOISIGH: Léigh as Gaeilge é. Sea! Dein!

SEANÁN: (*ag aistriú*) Táimse, Sir John Fitzwilliam, ag feidhmiú dom mar
ionadaí a Shoilse Anraí VIII, Rí Mórghlórmhar na Breataine agus na
hÉireann, ar tí géillsineach don rí réamhráite a dhéanamh den
Dónallach, taoiseach oirearc a mhuintire; agus tugann an Rí, tríomsa,
geallúint shollúnta go ndéanfaidh sé, is a shliocht ina dhiaidh go
deireadh aimsire, cosaint ar thailte an Dónallaigh i gcomaoin a
dhílseachta. Bhfuil aon ní le rá ina choinnibh sin ag aoinne anso?
Agus má tá, cuireadh sé a chúis in iúl.

CALBHACH: (*éiríonn go ciúin dínitiúil*) Níl ceart dá laghad ag m'athair
Tír Chonaill a thabhairt
uaidh. Nílimse sásta.

GALLCHOBHARACH: Ná nílimse.

BAOILLEACH: Ná mise. (*thiar sa halla a chloistear a ghlór*)

CONCHÚRACH: Ná mise.

MAC SUIBHNE FÁNAD: Ná mise. (*thiar a chloistear a ghlór*)

BÉIRNEACH: Ná mise. (*thiar a chloistear a ghlór*)

SEANÁN: (*tar éis dó dul i gcomhairle i gcogar le Sir John*)
Bhfuil aon ní ba mhaith leatsa rá, a Dhónallaigh?

MÁNAS: (*Iompaíonn*) Is é toil Uí Dhónaill é—mo thoilse—is toil
fhormhór mo mhuintire. Is leor san d'aoinne.

ATHAIR EOGHAN: (*ag éirí*) Deinim a dhearbhú go lánsollúnta
os bhur gcomhair, in ainm Chalbhaigh Uí Dhónaill gur sádh
ina chliabh an tsleá ag Cath an Bhealaigh Mhóir,
in ainm Shéafraidh Ghairbh a hiomparaíodh ar chróchar ard
chun troda in aghaidh a namhad, in ainm na nDónallach
anaithnid go léir nár sádh iontu fós
aon tsleá, is nár iomparaíodh ar chróchair, ná fuil
toil fhormhór a mhuintire le hÓ Dónaill insa ghéilleadh so.

MÁNAS: Thugais d'éitheach, a Athair Eoghan is tá's
agat go maith é. Ná rabhais i láthair leis ar maidin?

ATHAIR EOGHAN: Bhí daoine as láthair.

MÁNAS: Cé bhí as láthair?

ATHAIR EOGHAN: D'athair!

MÁNAS: M'athair!

SEANÁN: (*le Sir John*) A athair? Ná fuil a athair marbh?

ATHAIR EOGHAN: Is bhí mac do mhic as láthair.

MÁNAS: An as do mheabhair atáir?

ATHAIR EOGHAN: Ní as mo mheabhair atáim. Ní hé toil d'athar
é ná a athar siúd arís; ná ní hé toil do mhic é,
ná a mhaca siúd arís. Ní hé toil
na nDónallach é, ná fós aon chine eile i dTír Chonaill.

GALLCHOBHARACH: Ná ní hé toil na mná ba dheireanaí

aige é—Eileanór Nic Ghearailt!

MÁNAS: (*leis an Athair Eoghan*) Ní bhainid leis an scéal.

ATHAIR EOGHAN: Bainid; is uathu ceart an Dónallaigh
dá thalamh.

MÁNAS: Níl ansan agat ach gliceas—gliceas
folamh focal! Tá an scéal so pléite agus socair.
Cuireadh cheana féin inniu é ar ghuthaibh.

ATHAIR EOGHAN: An é is dóigh leat gur ag beoibh amháin
tá guth le caitheamh? An é a deireann tú gur ceadaithe
d'aon ghlúin amháin dínn toil an chine uile
chur ar ceal?

MÁNAS: Tá mo dhóthain cloiste, a Athair Eoghan,
agam. Is minic roimhe seo dhein Dónallaigh comhréiteach
leis an Sasanach.

ATHAIR EOGHAN: Ach níor ghéill aon duine acu a chearta
ó bhonn, ná cearta a dhaoine muinteartha bhí fós i mbroinn
na haimsire. Mar sin impím ort tarrac
siar 'nois féin ón ngéilleadh suarach so.

MÁNAS: Suigh síos. Suigh síos, a deirim, a Athair Eoghan.
Tá éistithe go foighneach agam leat an lá ar fad
ag pléascadh drumaí móra diamhara,
is ag gairm na fola go dainséarach chugat anuas, i slí
a thaitníonn leis an slua. Is ní raibh agamsa
id choinnibh ach an lomréasún. Tá deireadh na cineáltachta
agam caite, ámh; is deirim leat anois
le húdarás, gan aon bhaol amhrais, an ní a dheinimse,
gurb é mo cheart é, ceart an Dónallaigh.
Más agam tá ceart an chogaidh, is agam chomh maith tá ceart
an ghéillte. Aoinne feasta ardóidh a ghlór,
caithfear láithreach ins an túr é.

SEANÁN: An raghaidh an gnó chun cinn?

MÁNAS: Ar aghaidh linn!

SEANÁN: Tar anso ar do ghlúine, a Dhónallaigh,
—led thoil—i bhfianaise Sir John.

SIR JOHN (*ag léamh*) Visne in verba Henrici Augusti, Britannorum
Hibernorumque regis, jurare, atque modestus in fide eius posthac
futurus esse?

SEANÁN: (*ag aistriú*) Bhfuilir sásta do dhílseacht a thabhairt feasta dá
Shoilse Anraí VIII, Rí na Breataine is na hÉireann; is bheith id
ghéillsineach umhal dó?

MÁNAS: Táim.

SIR JOHN (*ag léamh*) Visne omnes etiam quos agros possides eidem regi
tradere?

SEANÁN: Bhfuilir sásta na tailte ar fad féd choimirce a ghéilleadh suas
don rí réamhráite?

MÁNAS: Táim sásta.

SIR JOHN: (*ag léamh*) Quomodo ad fidem modeste sequendam te
promptum fore praestas?

SEANÁN: Conas a chomharthaíonn tú go bhfuilir sásta bheith id
ghéillsineach umhal don Rí?

MÁNAS: Bronnaim air mar chomhartha ar mo dhílseacht
an giota so de thalamh méith Thír Chonaill. (*Tugann dornán
cré dó in áras beag copair*)

SIR JOHN: (*ag léamh*) Itaque omnes ego res reddo, eo signans quod
Henricus Rex Octavus Augustus in animo proposuit te posterosque
tuos dehinc Tyrconnelliae finibus praefuturos esse, ad omnia in eis
perpetuo curanda pro regibus Anglorum. (*Tugann ar ais an t-áras*)

SEANÁN: Is bronnaimse ar ais arís é mar chomhartha gurb é is mian lena
Shoilse, Rí Anraí VIII, Tír Chonaill feasta bheith féd chúramsa is
féd shliocht, le haireacheasú agus le caomhnú do ríthe Shasana go
brách na breithe.

Leagann Sir John a chlaíomh ar a cheann

MÁNAS: Táim buíoch díot.

> *Tagann Sir John anuas den chathaoir agus cuireann a dhá láimh ar cheann Mhánais*

SIR JOHN: Rex igitur Mano imperio subjecto torquem aureum, item centum aureos, pro fide eius dat.

SEANÁN: Bronnann an Rí an slabhra óir seo ar a sheirbhíseach Mánas i gcomaoin a ghéillte dó; is chomh maith leis sin céad giní óir.

> *Cuireann Sir John slabhra óir ar a mhuineál is tugann sparán an óir dó isteach ina láimh. Bualadh bos*

Síneoimid na cáipéisí cíosa ar ball, is mar sin.

> *Dáiltear deochanna*

SIR JOHN: Sláinte Uí Dhónaill!

> *Roinnt gártha—is tost. Seanán ag tabhairt na Gaeilge do Sir John*

Is guímid nára fada an lá go ndéanfar

Iarla díot id dhúthaigh. Sláinte!

GLÓRTHA: Sláinte! Sláinte!

CALBHACH: (*Siúlann sé amach i lár baill an tseomra*) Diúltaíonn Ó Dónaill don tsláinte.

SUIBHNEACH: (*go giorraisc*) Ní dhiúltaíonn, a bhuachaill—tá sé ana-shásta.

CALBHACH: Níl. Is mise feasta Ó Dónaill. Tá a chearta chun na dúthaí tabhartha uaidh anois ag m'athair. Diúltaímse, Ó Dónaill, glan amach don tsláinte seo.

SUIBHNEACH: Ar son Dé, suigh síos!

CALBHACH: Ní shuífead.

SUIBHNEACH: Suigh síos nó caithfimid lámh láidir imirt ort.

CALBHACH: Ní imreoidh aoinne agaibh lámh láidir ar Ó Dónaill. Tá aige ceart—is neart! Aoinne (*Snabann an gunna cam den bhalla*) a chorróidh orlach feasta gheobhaidh sé béile trom 'na ghoile.

Imigh, a Chaitríona. A ghearrchailí! (*Imíonn na cailíní*)

Imigh amach a deirim leat. (*Imíonn Caitríona go dtí an chistin i ndiaidh na
gcailíní*) Do líonas go ceanúil

é seo inniu le haghaidh na mórócáide.

MÁNAS: (*Éiríonn ina sheasamh go mall righin*) Corródsa; is fós ní raghaidh
aon earra im ghoile

ach mar is rogha liom féin. Má líonais-se do ghunna inniu,

do dheineas féinig deimhin ná beadh sé lán

le haghaidh na mórócáide. (*Féachann Calbhach go fústrach ar a ghunna*) Tá
do chama-

ghunna folamh. Suigh síos.

CALBHACH: Ní shuífead!

MÁNAS: (*go cneasta*) Suigh síos, a Chalbhaigh, a gharsúin. De réir
an tsocraithe seo anocht is sinne Dónallaigh a riarfaidh
insa dúthaigh seo go brách na breithe.

CALBHACH: Geallúint cham ó rí calaoiseach!

MÁNAS: Más geallúint cham í, dearbhaím anso
duit féin os comhair strainséirí is daoine muinteartha ná cloífeadsa
ach oiread lem chuid féin den réiteach.

Troidfead iad!—'s tá fir anso a chonaic mé tráth ag troid.

Troidfead iad le sceana nó lem dhoirne

loma nó le m'ingní. Troidfead iad go bpléascfaidh

gach féithleog im cholainn. Raghad, a deirim

leat, ar chróchar insa chath—má bhristear alt amháin,

dá laghad, den chonradh so anocht. Anois

an bhfuilir sásta?

CALBHACH: Nílim. Nílim sásta. Tá deireadh agatsa
as so amach le cathanna.

MÁNAS: (*teann*) Tugann tú mo dhúshlán

CALBHACH: Tugaim.

MÁNAS: (*le fearg*) Dailtín gan rath tú an lá ab fhearr bhís riamh!
Coileán dothíosach uaibhreach! Cúpla fear, a Shuibhnigh, 's ardaigh
leat sa túr é.

CALBHACH: Go bás ní raghadsa in aon túr arís.

> *Ligeann fead ard, caitheann an bolta den doras, agus an camaghunna ar*
> *an urlár. Feictear mórán fear sa doras agus ag an bhfuinneog. Muscaeid*
> *acu. Snabann Calbhach muscaed ó dhuine acu. Muscaeid á dtabhairt leis*
> *don Ghallchobharach, don Bhaoilleach, etc.*

Níl easpa muscaeidí in aon chor orainn,
a mhuintir liom. Tá cupla céad acu amuigh ansan,
ar tinneall.

SIR JOHN: Dirty Irish savage! So you're our priceless throat-slitter!

GALLCHOBHARACH: Breá réidh, Sir John. Ná tacht tú féin roimh ré
gan aoinne 'bhaint led scornach!

> *Sir John ar buile glan*

CALBHACH: Ná bog. Ní mór, is fíor, taithí na nGallchobharach
ná na mBaoilleach ar na hairm néata so;
ach níl aon amhras ná go ndéanfaidís bagún
breá Sasanach díotsa!

MÁNAS: (*go tobann, le fíoch*) A Shuibhnigh, sáigh do chlaíomh ina
phutóga bréana.

SUIBHNEACH: Ní fhéadaim é.

MÁNAS: Dein mar deirim leat!

SUIBHNEACH: Níl aon chiall leis.

MÁNAS: Ordaímse, Ó Dónaill, duit é dhéanamh.

SUIBHNEACH: Ní fhéadaim é. Tá buaite orainn.

MÁNAS: Meatachán gan mhaith! Is cuma é.
A bhastaird ghránna, bíodh sé seo agat!

> *Tugann ruathar fíochmhar allta faoi Chalbhach lena chlaíomh. Sciurdann*
> *an Suibhneach eatarthu is a chlaíomh féin beartaithe*

SUIBHNEACH: Coisc do bhuille. Ní haon mhaith . . . beirt Dhónallach . . .
ar lár . . . U! . . .

Gointear sa ghualainn é, ach buaileann sé claíomh Mhánais as a láimh.
Piocann an tAthair Eoghan suas an claíomh is an camaghunna. Caitheann
an gunna uaidh ar an mbord. Mánas is a cheann ar sileadh leis. Téann an
tAthair Eoghan i dtreo an tSuibhnigh

Táim i gceart . . . Níl ann ach gearradh ar barra.

CALBHACH: (*Bagraíonn beirt fhear laistiar de Mhánas*) Anso, anso. Oscail
na doirse thíos

is scaoil amach an slua. A chlaíomh a bhaint den uile fhear
nach linne é. A Ghallchobharaigh, fan-se
anso led thoil. Féachfadsa i ndiaidh na ndaoine seo
amuigh.

Imíonn amach agus roinnt fear ina theannta. Beireann leo roinnt de na coinnle

GALLCHOBHARACH: Bhfuil aoinne anso gur mhaith leis an dá pheata
so a thabhairt ag siúl!

Imíonn Sir John agus Seanán i dteannta beirte eile. Coinneal acu

ATHAIR EOGHAN: A Shuibhnigh, féachfaidh Caitríona i ndiaidh
an chréachta san sa chistin.

An Suibhneach amach. Sos

GALLCHOBHARACH: Seo, anois, is mithid do ghaiscíoch
an tslabhra óir a bheith ag bogadh leis.

MÁNAS: Ní heol dom . . . Athair Eoghan . . . an cara tú
ar aon tsórt slí . . . ach ba mhaith liom aisce sara . . . sara gc . . c . . .

GALLCHOBHARACH: Ní chrochfar tú! (*Baineann an slabhra óir de Mhánas*
is caitheann sa chúinne é)

ATHAIR EOGHAN: (*go cineálta*) Ní chrochfar tú, a Mhánais.

MÁNAS: Mé chaitheamh insa túr má sea?

ATHAIR EOGHAN: Is baolach é—muran mian . . .

MÁNAS: (*go teann*) Ní mian.

Sos

ATHAIR EOGHAN: Ba mhaith leat aisce?

MÁNAS: Cead cainte le m'iníon Caitríona . . . roimh . . .
imeacht dom.

ATHAIR EOGHAN: Ní mór é sin. Cad deirir, a Ghallchobharaigh?

GALLCHOBHARACH: Maith go leor. Aon neomat beag amháin.

*An Gallchobharach is a chuid fear amach. Tógann siad roinnt coinnle
leo, sa tslí ná fuil fágtha anois ar an mbord ach an t-aon choinneal amháin*

ATHAIR EOGHAN: Raghadsa á rá léi.

MÁNAS: Agus, a Athair . . .

ATHAIR EOGHAN: Sea?

MÁNAS: Sir John agus a chara . . . thángadar
anso ar choimirce an Dónallaigh. B'fhéidir go bhféachfá
chuige, a Athair, ná himeodh aon díobháil
orthu.

ATHAIR EOGHAN: Féachfad chuige, a Mhánais.

*An tAthair Eoghan amach. Suíonn Mánas ag ceann an bhoird gan cor
as, is é ag féachaint roimhe amach. Cloistear ar cúl sa dorchacht mar a
bheadh 'Samhaircíní a fuaireas-sa' á fheadaíl go ciúin brónach. Tagann
Caitríona isteach, go mall támáilte ar dtús, ansin de rith, is caitheann
sí í féin ar a glúine ag cosa Mhánais*

CAITRÍONA: Ó 'athair, 'athair, 'athair!

MÁNAS: Bog réidh, a Chaitríona, a chroí, bog réidh;
ag lorg sóláis atáim, 's ní trua.

CAITRÍONA: Tá's agam, ó tá's agam.

MÁNAS: Stad, a leanbh, stad. Is domsa is córa
an gol. Ach fós ar chuma éigin is fada uaidh mé. Aga
beag fé chiúnas, is é sin 'tá 'teastáil
uaim, sa tslí go dtuigfinn . . . cad tá ag tarlú dom. Mar sin,
cuir uait an gol.

CAITRÍONA: Maith dom é. Níl ciall leis. Ach níor chreideas
riamh im chroí gur mar seo dhéanfaí leat ar deireadh.

MÁNAS: Ná níor chreideas-sa. Níor chreideas riamh
gur ceapadh deireadh dom mar ceapadh é do chách, gur thit
mo chlaíomh óm láimh sa ghráscar; 's tuigeadh dom
de phlimp ansan gurbh shin í mo bheatha titithe ar lár.
Agus bhí ionadh orm; 's bhí ionadh orm,
leis, is sórt aiféala, nár dhein . . . duine éigin díobh . . .
mé chrochadh láithreach ar an gcrann mór beithe
sin lasmuigh de dhoras.

CAITRÍONA: Nílid chomh cruálach san ar fad.

MÁNAS: Is cruálaí ná san fós iad dá mbeadh gnó leis.

CAITRÍONA: Ní gá tú féin a bhuaireamh leo anois.

MÁNAS: Ní gá. Ní gá.

CAITRÍONA: (*ag iarraidh bheith croí-éadrom*) Is beir anso ar aon chuma
i measc
do dhaoine muinteartha.

MÁNAS: Bead, a chroí. A Chaitríona . . .

CAITRÍONA: Sea, a athair.

MÁNAS: (*go simplí*) B'fhéidir go bhfaighfeá uathu cead teacht chugam
istoíche . . . uaireanta . . .

CAITRÍONA: Gheobhaidh mé, a Mhánais, gheobhaidh mé.

MÁNAS: Is coinneal a bhreith leat, id láimh, sa tslí
go scríofá a mbeadh cumtha d'fhilíocht im cheann agam
i gcúrsa an lae.

CAITRÍONA: Déanfad.

MÁNAS: Níorbh annamh mé á rá ná fuaireas aga
riamh chun m'aigne a thabhairt i gceart don bhfilíocht.

CAITRÍONA: Tabharfaidh mé . . . an choinneal. (*í i riocht goil arís*)

MÁNAS: Fo, fo, a Chaitríona a stór.

CAITRÍONA: (*á smachtú féin*) Is iarrfaidh mé ar an Athair Eoghan dul
chugat
ar cuairt chomh maith.

MÁNAS: (*Sos. Ansin mar a bheadh creathán ina ghuaillí aige*) Bhuel ... dein.
    Sea dein. Is ait an fear an tAthair Eoghan.
CAITRÍONA: Tá sé crua.
MÁNAS: Tá cruas míchríostaí ann.

Sos

Tá suaimhneas éigin orm ar deireadh, ámh,
nach fuirist dom a rá ... Thuigfeása leis é, a Chaitríona,
dá mbeadh marcaíocht fhada déanta agat
i nduifean geimhridh, ar bhóithre arda os cionn na farraige,
is an ghaoth a bheith ag líonadh poll do chluas
gan sos 's dod bhodhradh—nó go leáfadh sí de gheit, tráth thiocfá
isteach i mám beag idir maolchnoic. Ach
is nuair a shrianfá chugat do chapall le tobainne an chiúnais,
is ea chloisfeá den chéad uair an fharraige
féin 's í ag stealladh léi go sámh sna cuanta romhat. Is chífeá,
b'fhéidir, solas romhat nó dhá sholas.
Bheadh baile ansan, ball éigin áitrithe—dá olcas é—
go bhfaighfeá greim le n-ithe, is go bhfaigheadh
do chnámha suaimhneas. Tá mo mharcaíochtsa déanta, a Chaitríona,
is ní call dom feasta bheith dom bhuaireamh féin
le pleananna, ach mo cheann a shíneadh tharm.

    Cnagadh mífhoighneach ar an doras. 'Brostaigh ort,' 'Brostaigh,' á rá.
    Geiteann Mánas, mar a bheadh ag múscailt ó thaibhreamh

Hu? Cad é sin?
CAITRÍONA: Fanaigí neomat. Neomat eile.
MÁNAS: (*a cheann ar a dhá bhois aige go tobann*) A Chríost, a Chríost, a
    Chaitríona.
CAITRÍONA: Bog réidh. Bog réidh, a athair.
MÁNAS: Ní féidir é. Ní féidir é.
CAITRÍONA: Ní bheidh an scéal chomh holc ar fad agat.
MÁNAS: Ó beidh, beidh. Ní chuige seo a ceapadh

mé. Ní chuige seo a chaitheas-sa naoi míosa caoch
i mbroinn mo mháthar . . . chun go dteilgfí . . .
go hainneonach . . . sa chlapsholas mé arís roimh am dom.
(*é ag útamáil ar an mbord agus dásacht ag teacht air*) Dá mbeadh claíomh
agam . . . d'fhágfainn duine
nó beirt acu . . . nó aon ní . . . á . . . an gunna cam . . .
ach tá sé folamh. Folamh! (*Caitheann uaidh é*) Ó, cad fáth,
cad fáth, a Chaitríona, gur mise, is nach é an drúiseoir sin
amuigh—nó an coileán drochmhúinte is mac dom—
'tá á cheangal insa túr anocht!

CAITRÍONA: Ní fheadar. A Mhaighdean Bheannaithe, ní fheadar . . .

Sos

MÁNAS: (*á shrianadh féin ar deireadh. Ciúnas ina ghuth*) Ach má chaithfear
fulang, fulaingeofar.
Táim ullamh. Abair leo, a Chaitríona.

CAITRÍONA: (*Stopann ar a slí go dtí an doras*) Más maith leat . . . tá dul as
agat.

MÁNAS: Dul as? Níl aon dul as!

CAITRÍONA: (*i trí chéile*) A rá le Calbhach . . . go bhfuilir sásta . . . d'fhonn
síochána . . . riaradh na dúthaí a fhágaint fé sin
feasta.

MÁNAS: An iomad d'fhonn síochána a bhíonn ortsa,
a ghearrchaile. Ní déarfad focal fiú le Calbhach.

*Téann Caitríona go dtí an doras, is tagann an Gallchobharach is roinnt eile
isteach*

GALLCHOBHARACH: Ullamh, a Dhónallaigh?

MÁNAS: Go raibh maith agat, a Ghallchobharaigh.
Sea, tá Ó Dónaill ullamh. Beannacht dílís Dé leat, a Chaitríona.

A lámha á leagadh ar a ceann aige. An tAthair Eoghan isteach ar clé
Á, a Athair . . .

ATHAIR EOGHAN: An aon tairbhe mé á rá leat anois féin,
a Mhánais, gur cumas duit ar gheallais anso anocht don namhaid
a chur ar neamhní fós; agus tú féin
a scaoileadh saor ón túr, ar aon nós?

MÁNAS: An ní a gheallas-sa, tá geallta. Níl aon
dul thairis sin. An beart a dheineas, chíonn an croí ionam
gurbh é ab áil lem mhuintir, agus gurbh
é ba chiallmhaire ar fad.

ATHAIR EOGHAN: Ní féidir san a chur i ngníomh anois . . .

MÁNAS: Ní féidir, más é seo an deireadh. Ach ní hé
an deireadh é. Ní féidir gurb é an deireadh é—mar ní hé
deireadh an réasúin é. Réiteofar go
sibhialta fós an choimhlint seo. Mura ndeinim féin é,
déanfaidh duine éigin eile. Déanfaidh
san—chomh cinnte agus thagann na séasúir á bhfógairt
féin sa scoilt bheag is fuinneog don charcar
os mo chionn.

Tagann Calbhach sa doras oscailte. Féachann siad ar a chéile leathnóiméad
Ach 'sé is dóichí liom ar fad, go dtiocfar
chugamsa ar ais gan mhoill go humhal. Sea, tiocfar.
Agus chífeadsa—cá bhfios? an fómhar seo chugainn arís
na páirceanna cois abhann agam 's iad folcaithe
le clúmh ealaí; is eidhneán dearg ar na fallaí cloch.

*Mánas go mall in airde staighre. An Gallchobharach agus a bheirt fhear
ina dhiaidh. Tá na cailíní tagtha i ndoras na cistine. Nuair a imíonn
Mánas as radharc téann an tAthair Eoghan ar a ghlúine. Deineann
Caitríona agus na cailíní mar a gcéanna. Calbhach fós ina sheasamh sa
doras oscailte*

ATHAIR EOGHAN: Ón uair nach eol dúinn aon lochtaí air, a Thiarna, ná go
bhfuil a oiread eile orainn féin arís,

CAILÍNÍ: (*os íseal*) Dein trócaire air.

ATHAIR EOGHAN: Ón uair ná fuil aon duine againne ná tuilleann mar an gcéanna, is fós go bhfuaireamar ionainn féin an céasadh so thabhairt dó,

CAILÍNÍ: Dein trócaire air.

ATHAIR EOGHAN: Ón uair gur chuir an fhuil ina fhéithibh freagracht fé leith air, agus gur fhreastail sé an fhreagracht fé mar ab fhearr ab eol dó,

CAILÍNÍ: Dein trócaire air.

ATHAIR EOGHAN: Ón uair, a Thiarna, gur Tú ba dhídean dó ina anbhainne idir giniúint is beatha dó, ina anbhainne idir geimliú is bás dó,

CAILÍNÍ: Dein trócaire air.

ATHAIR EOGHAN: Ón uair go bhfuil deireadh a chúrsa sroichte anois aige, cúnlaigh é sa gheimhreadh i gcompord do ghrásta; is tabhair fuarthan dó sa tsamhradh ó bheirfean a mhachnaimh.

CAILÍNÍ: (*níos airde*) Dein trócaire air.

Cloistear pléasc dorais iarainn á dhúnadh i bhfad thuas. Cromann an tAthair Eoghan a cheann

ATHAIR EOGHAN: Sna hoícheanta dorcha . . .

Cloistear eochair á casadh sa ghlas. Briseann racht goil ar na cailíní agus teipeann an freagra orthu. Téann Calbhach ar a ghlúine

CALBHACH: Dein trócaire air, a Thiarna.

ATHAIR EOGHAN: Is sinne atá fágtha, ná feadar cad tá romhainn, dein trócaire orainne leis . . . anois . . . agus ar uair ár ngá,

CALBHACH: Amen.

Cloistear coiscéimeanna tomhaiste ag filleadh anuas an staighre

Brat Anuas

DEIREADH

Paul Funge a dhear an clúdach

arna chló ag
Dill agus Sáirséal Teoranta
Baile Átha Cliath

DRÁMAÍ

ó sháirséal agus dill

37 Br. Ardpháirce, Áth Cliath 6

DLÍ NA FEIRME   Mícheál Ó hAodha

   3 ghníomh (4F : 2B). Dráma nuastaire suite sna tríochaidí, nuair
   a bhí coimhlint ghéar i gceist na talún idir Rialtas Fhianna Fáil
   agus dreamanna ba fhaide chun clé   2ú cló   c 7/6   b 4/-

AN TINCÉARA BUÍ   Seán Ó Coisdealbha

   (4F : 2B) agus PIONTA AMHÁIN UISCE (3F : 3B)
   Dhá ghearrdhráma grinn. Gontacht, géire, scoth na Gaeilge.
   Sár-fheiliúnach do fhéiltí drámaíochta, don aos óg, nó mar thús
   oíche   2ú cló   c 7/6   b 4/-

ORTHA NA SEIRCE   Seán Ó Coisdealbha

   Dráma grinn 3 ghníomh (7F : 6B). Suite sa Ghaeltacht aimsir na
   nDúchrónach. Caint mhear ghonta na Gaeltachta   c 9/6   b 6/-

CÓTA BÁN CHRÍOST   Críostóir Ó Floinn

   3 ghluaiseacht (1F : 1B). Dráma conspóideach fealsúnachta san am
   faoi láthair. Duais Oireachtais 1966, Duais an Chraoibhín 1968
                                                         c 12/6 b 8/6

FAILL AR AN BHFEART   Séamus Ó Néill

   3 ghníomh (11F : 4B)*. Dráma staire, bunaithe ar an bhfírinne,
   suite i gCúige Uladh le linn Éirí Amach 1798   c 9/6

INÍON RÍ DHÚN SOBHAIRCE   Séamus Ó Néill

   Tragóid 3 ghníomh (6F : 3B)*. Athinsint ar eipic Seanghaeilge
                                                         b 5/-

GUNNA CAM AGUS SLABHRA ÓIR   Seán Ó Tuama

   Dráma véarsaíochta 3 ghníomh (13F : 2B)*. Dráma staire suite sa
   16ú aois, nuair a bhí na seantaoisigh Gaelacha ag géilleadh de
   réir a chéile do Shasana. Gradam an Oireachtais   c 12/6 b 8/6

*Ní áiríonn an líon foirne seo daoine nach bhfuil aon chaint le déanamh acu.

Ní mór cead a fháil ó Sháirséal agus Dill chun aon cheann de na drámaí seo
a léiriú go poiblí.